魔法少女育成計画
Presented by Endou Asari
遠藤浅蜊
illustration マルイノ

MAGICAL GIRL'S
リップル
手裏剣を投げれば
百発百中だよ
スノーホワイト
困っている人の
心の声が聞こえるよ
ルーラ
目の前の相手に、
なんでも命令できるよ
カラミティ・メアリ
持ってる武器を
パワーアップ
できるよ
たま
いろんなものに素早く
穴を開けられるよ
ハードゴア・アリス
どんなケガをしても
すぐに治るよ
ねむりん
他人の夢の中に
入ることができるよ
トップスピード
猛スピードで空を飛ぶ
魔法の箒を使うよ

森の音楽家
クラムベリー
音を自由自在に
操ることができるよ
スイムスイム
どんなものにも
水みたいに潜れるよ
ラ・ピュセル
剣の大きさを自由に
変えられるよ
二人合わせて
ピーキー
エンジェルズ！
ミナエル
生き物以外の
好きなものに変身できるよ
ユナエル
好きな生き物に
変身できるよ
マジカロイド44
未来の便利な道具を
毎日ひとつ使えるよ
シスターナナ
好きな人の力を
めいっぱい
引き出せるよ
ヴェス・
ウィンタープリズン
何もないところに
壁を作り出せるよ

四人の足元には、動かなくなった
元魔法少女が横たわっていた。
「嫌なやつがいなくなった!」
「偉そうにしてるやつがね」

魔法少女育成計画

Presented by Endou Asari
遠藤浅蜊
illustration
マルイノ

宝島社

CONTENTS

イラスト：マルイノ
デザイン：AFTERGLOW

Go ahead!!

魔法少女育成計画とは?

☆初心者でも入りやすい簡単さ&熟練者を飽《あ》きさせない奥深さ!
★著名イラストレーターによって描かれた美麗《びれい》なカード群!
☆まるでアクションゲームのように動きまくるキャラクター達!
★五百のキャラクタータイプに二千のアイテム! その組み合わせは無限大!
☆どれだけプレイしても完全無料! 課金一切無し!

夢と魔法の世界へようこそ!

最高の魔法少女になるためのRPG。それが魔法少女育成計画です。

あなたは「魔法の国」から「世界の守護者」に任命されました。邪《じゃ》を砕《くだ》き闇《やみ》を滅《めっ》する魔法を授《さず》かり、キュートでキッチュ、ストロングでパワフルな「魔法少女」として悪と戦うことを宿命づけられたのです。

魔法の力だけでなく、マスコットキャラクター、コスチューム、マジックアイテム、決め台詞《ぜりふ》を利用して敵を撃退してください。敵を倒すことで「マジカルキャンディー」を手に入れ、あなたが思い描く最高の魔法少女へと成長していくのです。

世界は常に脅《おびや》かされ、魔法少女はいつだって不足しています。勇気を出して最初の一歩を踏み出しましょう。

あなたの夢はきっとかなうはずです。

プロローグ

　その夜、鳩田亜子《はとだあこ》は困っていた。

　中学校から直接アルバイトに行き、そこからバス停一つ分の道のりを歩き、家まで帰り着いたところで玄関の鍵《かぎ》を紛失《ふんしつ》していたことに気がついたのだ。

　小さな鍵である。探すにしても時間がかかるだろう。ましてや今は夜。秋の日は落ちるのが早く、街灯と月明かりのみでは満足に探すこともままならない。

　叔母《おば》や叔父《おじ》が帰ってくるまで待てば家に入ることはできる。だが鍵を失くしたという事実は変わらない。誰かが拾えば使えてしまう以上、鍵を付け替えなければならないだろう。そんな迷惑《めいわく》はかけたくない。

　今から三ヶ月前、父が母を刺し殺して捕まった。それ以来、亜子は母の弟……叔父の家に引き取られて暮らしている。それについて、大迷惑をかけているという自覚がある。今までと同じ学校に通わせてもらい、お小遣いまでもらって、毎日不自由することはない。迷惑のかけ通しだ。

一度、父に面会に行ったことがあったが、その時は「もう二度と来るな」と追い返された。父にとってさえ、亜子は不必要な存在だった。

学校では誰も亜子に話しかけてこない。罵《のの》り合いの末に亜子の父が母を刺し殺したことはなぜか皆が知っていて、ひそひそと噂するばかりで亜子を遠巻きにしている。

今の亜子は誰にとっても不必要な存在で、ただただ迷惑を振《ふ》り撒《ま》いている。

だったら死んだ方がいいと考えた。以前、父方の祖母から「思い込みの強いところがあんたのお父さんそっくりだね」とため息混じりでいわれたことがあるが、こういう思い切りはけっして悪いことではないと思う。迷惑をかけ続けるよりずっといい。亜子は死ぬための準備を少しずつ重ねていた。思い出の品を処分し、遺書をしたため、不眠症の叔父が常飲している睡眠薬をバレない程度に少しずつ盗んで学習机の引き出しに保管した。薬はもうすぐ、目標の量に達する。

だが鍵を失くしてしまった。これ以上迷惑をかけたくなくて死のうとしているのに、余計な迷惑をかけてしまうことになる。こんな大事な時に鍵を失《な》くす不注意な自分がつくづく嫌になり、亜子は門の前に力なくしゃがみ込んだ。

失くした鍵は、亜子の中で、自分を苦しめている全ての象徴となった。亜子はもう鍵のことしか考えられなくなり、見開いた目から涙をぽろぽろ零《こぼ》した。

「なにか困ってることがあるの？」

場違いな……亜子という中学生がいるからには場違いではないのかもしれないが、それでも夜の住宅街には場違いな、場違いに可愛らしい女の子の声だった。

「困っていることがあるなら教えてほしいな。たとえば……どこかで鍵を落としてしまったせいで家に入れない、とか」

亜子が顔を上げると、見るだけで心臓が高鳴るような美しい少女がそこにいた。夜の闇に浮かぶ透《す》き通るような白い肌。配置されるべきに配置された完璧に整った目鼻立ち。笑顔がどことなくぎこちなく、美しい容姿《ようし》と不慣れな笑顔とのアンバランスさがかえって愛らしく見えた。

ただし扮装《ふんそう》は風変わりだった。パッと見は学生服にも見えたが、アレンジが効き過ぎている。どちらかというとアニメや漫画のキャラクターのコスプレに近い。スカーフはフリルで縁取《ふちど》られ、プリーツスカートには白い花飾りが吊るされている。腕章には校章らしきものが描かれているが、少なくともこの辺りの学校ではない。オーバーニーにも同じ校章が……と思ったが、ニーソックスではなく白いブーツのようだ。月明かりに照らされ輝くプラチナブロンドは、リボンと、これまた白い花飾りでいっぱいに彩《いろど》られていた。

亜子の脳裏に「魔法少女」の四文字が浮かんだ。呆然としたまま、気がつけば鍵を失くしてしまった旨を告白していた。少女は頷《うなず》き、「ちょっと待ってて」と告げ、その場で掻《か》き消えてしまった。風が舞い上がり、果物に似た良い香りが亜子の鼻腔《びこう》をくすぐった。

——本物だ。本物の魔法少女だ。

亜子が呆然と立ち尽くして五分後、肩で息をしながら少女が戻ってきた。

「これでいいのかな？」

差し出された鍵は確かに亜子が失くしたものだった。

「もう失くしちゃダメだよ」

少女は笑い、亜子は笑顔に誘われるように礼の言葉を口にした。顔立ちは全然違うのに、その笑顔はまだ父と仲が良かった頃の亜子の母に似ていた。嬉しそうで、幸せそうで、見ている方も楽しくなる、そんな笑顔だ。

ありがとうと頭を下げ、上げた時にはもういなくなっていた。やはり魔法少女だったのだ。

亜子はとても気分が高ぶった。心臓のあたりが温かくなった気がした。

死のうという気持ちはもうなくなっていた。魔法少女は本当にいた。亜子は救われた。

亜子も魔法少女になることができるだろうか。魔法少女になれば必要とされる存在になるだろうか。そう考えると、すごくドキドキした。

亜子を必要としてくれる人がどこかにいるのだろうか。

第一章　ブラック&ホワイト

四年前行われた大合併《だいがっぺい》により近辺最大規模の都市になった港湾《こうわん》都市、N市。市役所を筆《ひっ》頭《とう》とした奇抜な建物が乱立する近未来的なビル郡、寂《さび》れたまま放置された山間部の村落、最新の医療機器を備えた大病院、経営が立ち行かなくなって倒産した大工場、それらが同居する「合併により無理やり作られた大都市」特有の歪《いびつ》さがあった。

そのN市内において、昨年の六月頃から「魔法少女」の目撃情報が報告されるようになった。

制限速度をぶっち切って高速道路を疾走《しっそう》する車の窓ガラスがノックされた。石でも跳《は》ねたのかと見てみれば、箒《ほうき》に跨《また》がった魔女がにっこり笑って「もうちょいスピード落とそうか」と注意してきた。

ボールを追いかけて道路に飛び出してきた子どもとトラックが鉢合《はちあ》わせし、間に合わない！　と誰もが思ったその瞬間、突如現れた女騎士《きし》が子どもの前に立ちはだかり、素手でトラックを押し止め、なにもいわずに立ち去った。

しつこいナンパを振り切れずに困っていたが、頭部から犬のような耳を生《は》やした少女が四足歩行で走り寄ってきて、そのままナンパ男を抱《かか》えて連れて行ってしまった。

「この世のものとも思えないほど美しい少女だった」という共通点はあったものの、容姿、服装、状況、全てがバラバラで、都市伝説としてもまとまりがない。

当初は、妄想《もうそう》、法螺《ほら》、嘘八百として一笑《いっしょう》に付《ふ》されていたが、目撃談は増え続け、その内の一人が撮影したという「手をつないで空を飛ぶ二人の天使」の動画が動画投稿サイトにアップされたことで噂は爆発的に広まった。

あの動画は本物である。いいやあれは作り物だ。職場、学校、ネット上、様々な場所で人々は議論を重ね、時には少女から助けられた本人と名乗る者もそこへ混ざり、動画の信《しん》憑性《ぴょうせい》と少女達の存在について話し合った。

少女から助けられた一人が「あなたは何者なのか?」と質問したところ「自分は魔法少女である」という答えが返ってきたという体験談は、「謎の少女」に「魔法少女」というキャラクターを与えた。

ファンサイトや研究サイトが次々に開設され、目撃情報を集めたまとめサイトは連日更新されている。中でも最新の目撃情報はとびきり刺激的なものだった。

市内の歓楽街に大陸系マフィアがアジトとしているマンションがある。西部劇から飛び出してきたようなガンマンスタイルの魔法少女がそこへ乗り込み、居合わせた構成員をボコボコにのし、貯《た》めこんであった武器と資金をかっさらっていった、というのだ。

「これさ、ホントにあった系の話だと思う?」

バス停でバスを待つ女子中学生が三人。その内の一人が、友人二人にスマートフォンの画面を見せつけた。画面内には魔法少女目撃情報まとめサイトのタレコミが表示されている。

「アンタマジそういう話好きだね。そんなもん、本当なわけないじゃない」

「えー。めちゃホントにあった系っぽくない?」

「臨場感《りんじょうかん》あり過ぎっしょ、この記事。現場にいたみたいじゃん」

「よっちゃんいっつもそうやってアタシの話否定すんよね。じゃあ現場の人が投稿した系の話かもしれないじゃん」

「スミが馬鹿な話ばっかすっから否定すんのよ。現場にいた人っていったって、のされたマフィアや魔法少女本人が記事を投稿するわけないし。それにいい年齢《とし》して魔法少女ってのもねー」

「でもホントにいたら面白いじゃん、魔法少女」

友人二人の魔法少女論を黙って聞いていた大人しそうな少女が、我慢しきれないといったふうに口を開いた。

「よっちゃんもスミちゃんも違うよ。本当に魔法少女がいても、そんなことするわけないんだってば。魔法少女は正義の味方で困ってる人を助けてくれるんだから」

「夢のある御意見をいただき大変ありがとうございまーす」

「小雪《こゆき》はさー、なんていうか夢見るよね。妄想ぎりぎりくらいの」

スマートフォンを手に取り合ってきゃっきゃとじゃれ合う中学生の背後、バス停のすぐ裏にある七階建てのビジネスビル、第七産光《さんこう》ビル。その屋上にも同じ事を気にしている少女が一人いた。着物をモチーフとしていながら露出度は水着さながら、高下駄《たかげた》に手裏剣型の髪留《かみど》めという装《よそお》いは、服装というよりコスチュームという方がより正確で、現在のN市でこのような格好をする者は魔法少女しかいない。

魔法の端末《マジカルフォン》に表示されたまとめサイトの該当《がいとう》記事を指差し、少女は尋《たず》ねた。

「これ本当……？」

画面が切り替わった。魔法の端末のハート型に切り抜かれた画面から光が放たれ、その上に硬質でつるりとした……タイルのような質感を持つ球体が、湖畔《こはん》を背景に浮遊《ふゆう》していた。立体映像だ。

右半身が黒、左半身が白という落ち着かない配色の球体からは、一枚のみの片羽《かたはね》が生え、その蝶のような羽を繰り返しはためかせ、羽が動くたびにキラキラとリンプンが散っている。スマイルマークのように記号的な顔が描かれているが、表情は固定されていて動かない。声は子どものように甲高《かんだか》い。

名前はファヴ。いわゆるマスコットキャラクターだ。

「ガセかもしれないぽん。マジかもしれないぽん」

球体はその場で宙返りをきめ、あたりは多量のリンプンできらめいた。少女はまぶしそうに目をすがめた。

「カラミティ・メアリならそれくらいやってのけるぽん。あの娘《こ》ってば無法者キャラ気取ってるからけっこうな無茶やらかすことがあるぽん」

「カラミティ・メアリ」は、N市城南地区を縄張《なわば》りとする魔法少女である。魔法少女は自分が守護するよう命じられた地域を「担当地域」「ホーム」等と称したが、彼女の場合は「縄張り」という呼び方がなによりもしっくりきた。

野卑《やひ》、粗野《そや》、野蛮《やばん》、等々、彼女の行状をいい表す良くない言葉には事欠かない。マスコットキャラクターにまで無法者とこき下ろされていた。

「ということは本当……？」

「そんなのファヴの口からいえるわけないぽん。他の魔法少女がなにをしましたーなんてこと、いちいち報告してたらチクリ屋ぽん。チクリ屋は妖精の世界じゃ嫌われるぽん」

「じゃあこっちは……？」

画面を指で一撫《ひとな》でると別ページに飛んだ。「白い魔法少女」は、他の全魔法少女を合計したよりも目撃情報が多く、単独で特設コーナーを設けられている。

「目撃情報、多すぎると思うんだけど……」

「ああ、『スノーホワイト』のページね。彼女はいっちばん働いているぽん。こんなのは氷山の一角ぽん。この倍も三倍も世のため人のために活躍してるぽん」

有機物である蝶の羽を持つ、無機物にしか見えない白黒の球体は、さらに二回転錐揉《きりも》みを加えて花の上に着地した。

「リップル、前もそのページ見てなかったぽん？」

「そう……？」

「ライバル意識とかあったりするぽん？」

「べつに……よくこれだけ働けるなって思っただけ」

「ライバル意識は推奨《すいしょう》ぽん。みんなで競《きそ》い合うことは素晴らしいことぽん」

「ふうん……」

少女……リップルは魔法の端末から目を離し、遊ばせていた足を揃え、腰かけていた屋上の縁から飛び降りた。少女は二十メートルの落下を経て、音もなく着地した。

「なんで急に飛び降りるぽん？」

「鬱陶《うっとう》しいのが来たから目につかない場所に行こうと思っただけ……」

「鬱陶しいぽん？」

リップルがビルの谷間から上を見上げ、ファヴもリップルが見ている方へ顔を向けた。上空の小さな点が次第に大きくなっていき、それは人型をとり、ファヴはその姿を見て声をあげた。

「トップスピード！」

箒に乗った魔女……魔法少女「トップスピード」はビルの谷間へと降り立ち、リップルの顔を覗《のぞ》きこんだ。

「リップルは元気してたかい？」

リップルは、大きな舌打ちを挨拶《あいさつ》代わりにし、トップスピードは苦笑いでそれに応えた。

「相変わらずツンデレだね」

「早く隠れればよかった……」

「魔法少女同士もっと仲良くしないとダメっしょ」

「うざっ……」

「そんなことよりさあ」

リップルはもう一度舌打ちをしたが、トップスピードは咎《とが》めることなく話を続けた。こういうマイペースな点がリップルに嫌われている一因だったが、本人はそのマイペースさゆえに気づいていないのかもしれない。

「この記事見た？」

トップスピードが差し出した魔法の端末にはネットニュースが表示されていた。N市に出没すると噂されている謎の少女、通称「魔法少女」のコスチュームが、人気ソーシャルゲーム「魔法少女育成計画」に存在するアイテムに酷似《こくじ》しているという内容だった。

「けっこう気づいている人いんのかねえ。やばいんじゃないの？」

「なーんにも問題ないぽん」

「そうなん？」

「魔法少女本人がリークしてる、なんてことだと『魔法少女のルール』に抵触《ていしょく》しちゃって大問題だけど、ファヴはそんな悪い子がいないってこと知ってるぽん。一般人がニュースにしてくれるなんてタダで宣伝してもらってるのと同じぽん。ありがたい話ぽん」

このマスコットキャラクターは営業職のような口をきくことがある。リップルが魔法少女になったばかりの頃にそのことを指摘すると、まったく悪びれることなく「営業というより人事ぽん」といっていた。

およそ二ヶ月前、細波華乃《さざなみかの》は魔法少女になった。

ソーシャルゲーム「魔法少女育成計画」をプレイしていると、何万人かに一人の割合で本物の魔法少女になることがある、という都市伝説は知っていたが、それを真《ま》に受けたわけではない。

幼稚園から中学校までは「理不尽な理由で華乃を侮辱《ぶじょく》した相手に対しては音《ね》を上げるまで暴力を振るって屈服《くっぷく》させる」ことで問題を解決してきたが、高校生ともなると様々な差し障《さわ》りが生じ、暴力で問題を解決することが困難になった。

母親が連れてきた五人目の自称義父に尻を撫でられ、屈辱を拳《こぶし》で返し、荷物をまとめて家を出た。狭いがガランとしたアパートに一人で越してきた華乃は、生活のためにバイトをクビになるわけにはいかなかった。あらゆる出費を切り詰める生活の中、将来のため高校を卒業しなければならなかったからだ。

そのため学校やバイト先で嫌な思いをした時の気晴らしとなる趣味が欲しくなり、さらに「趣味に金をかけるのは愚《おろ》か者である」という華乃の主義に「魔法少女育成計画」が合致《がっち》した。たった二つだけあった華乃の趣味「漫画の立ち読み」と「図書館で読書」に新しく「魔法少女育成計画」が加わった。

某社《ぼうしゃ》がスマートフォンの低価格化に成功し、競合各社も続々と価格競争に参戦。携帯電話全体に占めるスマートフォンの比率が公称九割に拡大したと発表されたのが三年前。それ以降もスマートフォンは出荷台数を伸ばし続け、携帯電話業界を席捲《せっけん》している。

スマートフォンの普及に従い、スマートフォンを対象としたソーシャルゲームの数も爆発的に増加。無料を前面に押し出しているソーシャルゲームは星の数ほどあるが、そのほとんどは「始めるだけなら無料だけど快適にゲームを進めるためには現金《リアルマネー》が必要不可欠」だ。その点「魔法少女育成計画」は無課金を徹底していた。ゲーム内のアイテムはゲーム内のイベントやゲーム内の通貨のみでしか手に入れることができず、つまりゲーム内で全てが完結していた。

学校でゲームの話をしている男子を見て、幼稚《ようち》な連中だと内心で小馬鹿にしていたのだが、やってみるとこれがどうしてなかなか面白い。

アバター……プレイヤーの分身となるキャラクターを自身でデザインし、ゲームスタート。人助けクエストや戦闘クエストをクリアして魔法カードやアイテムカードを集め、キャラクターを強化し、より難しいクエストに、より強い敵に挑《いど》んでいく。

一日三十分までという枷《かせ》をつけ、それを律儀《りちぎ》に守り続けていたため、ゲームの進行は亀の歩みだった。それでも自分が理想とする戦術やコンボのためにカードを集め、合成し、敵を倒していくという作業は面白かった。苦労と報酬が快楽につながる絶妙なバランスで構築されていて、ゲーム未経験者の華乃にはなにもかもが新鮮だった。

魔法少女という題材に大した興味はなかったが、まだ家にテレビがあった頃、画面の中で楽しそうに笑っていた少女と一緒に笑っていた自分を思い出し、そういえば魔法少女のことが大好きだった時期もあったんだと、がらにもなく追憶に浸《ひた》ったりもした。

人間相手の対戦や協力プレイは「面倒くさい」のと「鬱陶しい」のでパスし、ＣＰＵ相手の対戦とストーリーモードでのクエストをこつこつとクリアし続けていたら、ゲーム開始から一週間で変化が起こった。

画面内でふわふわと動いているだけだったマスコットキャラクター「ファヴ」が話しかけてきたのだ。

『おめでとうぽん！　あなたは本物の魔法少女に選ばれたぽん！』

なにかしらのイベントが起きるのかとボタンを連打してメッセージをスキップしていると、突然画面が強く発光し、華乃は眩い光に包まれ、気がつけば魔法少女になっていた。

華乃自身が、華乃のアバターである魔法少女「リップル」になっていたのだ。

華乃は深呼吸を三回し、自分の手を見、足を見、姿見で全体を確認し、それを五度繰り返した。気のせいではもちろんない。頬《ほお》を張ると、きちんと痛い。幻覚でもない。

華乃は現実的な解答を求め、バイトと学業で疲れているのだと判断した。このままでは困る、と思い、鏡を見ると変身が解けていた。

試しにもう一度変身しろと念ずると光に包まれ変身するし、解けろと念じると変身が解除される。変身プロセスと解除プロセスを何度も繰り返して、鏡を見るとそこにはやっぱり魔法少女「リップル」がいた。顔かたち、体格、全てが華乃とは完全に別人であり、華乃であれば絶対に選ぶことはない扇情的《せんじょうてき》な衣装もしっかり着こなしている。現実感があり、生々しく、これっぽっちも幻覚や妄想とは思えない。

右手を何度か握り、拳を左の掌《てのひら》に打ちつけてみる。音と衝撃で窓ガラスが震え、蛍光灯の紐《ひも》が左右に振れた。華乃のそれより細く、長く、しなやかな指は、芸術作品のように美しかったが、見た目よりはるかに強度があった。

とん、と軽く床を蹴ってみる。危うく天井に頭がぶつかりかけた。天井板を割るようなことがあればまた大家にどやされる。

身体能力が格段に上がっている。明らかに、通常の人間の範疇《はんちゅう》を超えた力だ。

手足を眺めてみる。皮膚には傷や痣《あざ》や産毛《うぶげ》はおろかホクロやアカギレさえない。艶《つや》やかで柔らかく、それでいてもぎたての果実のような水気がある。

体の内側に今にもほとばしるようなエネルギーが満ちているのを感じた。

襟元《えりもと》や袖口にはクナイや手裏剣が縫《ぬ》いつけられ、うっかり転べば大怪我をしてしまいそうだ。

噂は本当だった。「魔法少女育成計画」は魔法少女を生み出すゲームだった。

もう一度姿見を覗いて見る。そこには美しく整った顔があった。モデルか、芸能人か。

「ふぅん……」

声まで違う。高くよく通る声だ。

姿見の前で何度かポーズをとってみる。にっこりと笑顔を浮かべてみる。ちゅっと投げキッスしてみる。なにをしてもそれなりに様になる。ただし理想とする魔法少女像とは少々異なっていた。少なくとも正統派という感じではない。

「どうしたぽん？」

画面の中のマスコットキャラクターに話しかけられ、跳び上がりそうになったが、なんとか驚愕を面《おもて》に出さずにすんだ。ただ、鏡に向かってポーズを決めたり笑ったりという恥ずかしい姿を目撃されたことで、顔が赤くなるのはどうにもならなかった。

華乃は、できる限り平静を装い返事をした。

「何者……？」

「ファヴはファヴぽん。ゲームやってたなら知ってるはずぽん？」

「そうじゃなくて……目的はなに……？」

「ファヴは魔法少女の才能を持つ子達のサポートをするぽん。質問があるならどんどんしてほしいぽん」

話が通じている気がしない。リップルは舌打ちをして鏡を見た。そこには、どこからどう見ても魔法少女がいる。この事実は動きそうにない。

「『この世のものとも思えない美しさ』って聞いてたけど……こんなもん……？」

「助けられた人間の目には補正ってやつがかかってるぽん。そこそこ綺麗《きれい》な顔なら『この世のものとも思えない美しさ』になるぽん。不満ぽん？」

「別に……」

華乃のアバター「リップル」は、忍者をベースにした外見をしている。黒い髪、切れ長の目、薄い眉《まゆ》。この辺りのパーツは和服と水着を足して二で割ったようなコスチュームに似合うよう選んだが、全体を眺めて見ると魔法少女としては地味に思えた。忍者にはお約束の赤い襟巻《えりまき》、鉄色に光る巨大な手裏剣型の髪留め、それ以外は衣装全て黒系一色でまとめられている。

リップルという名前は華乃の苗字「細波」を英訳してつけたものだが、こうして現実になってみると、和風な見目と洋風な名前とがちぐはぐな印象を受ける。

「アバターの衣装って変更可能……？」

「今からは無理ぽん」

「ああ、そう……」

「どうしたぽん？　なにか不満ぽん？」

「別に……」

ファヴは説明を続けた。選ばれた魔法少女には人助けをしてほしいのだという。人助けには興味をそそられなかったが、美しい外見や人並みはずれた身体能力の高さ、駆使できるはずの魔法には魅力を感じた。

なにより華乃は、あまりにも自分の日常に倦《う》んでいた。

「ファヴがちゃんとサポートするし、素敵な魔法の端末もプレゼントするぽん」

「サポートって……どんな……」

「ファヴは魔法少女全員と友達だから連絡したい時は中継してあげるぽん。それに魔法少女について質問されたらなんでも答えてあげるぽん」

「そもそも魔法少女ってなに……？」

「魔法少女は魔法少女ぽん。テレビとかで見たことないぽん？」

「だからどういうものなのかって……」

「魔法の国から授かった魔法で人を助ける女の子ぽん」

「原理とか理屈とか……魔法の国の目的とか……」

「テレビとかで見たことないぽん？」

「だから……」

「もう魔法少女になってることは確定ぽん。これは取り消せない事実ぽん。なにを聞こうとなにをいわれようとリップルは魔法少女ぽん」

「えー……」

胡散臭《うさんくさ》く怪しい。しかしすでに超常識的な現象を目《ま》の当たりにしている。

華乃は頑張れば良い大学に入ることができる。しかし頑張りだけで魔法少女になることはできない。そこには運の良し悪《よしあ》しやたぶん才能が絡《から》み、ここで拒否すればチャンスは二度と訪れないだろう。ならとりあえず頷いておくべきだ。

このように、全てを天秤《てんびん》にかけた上で、打算の元に承諾《しょうだく》した。

華乃は、冷静に損得勘定《そんとくかんじょう》をしている自分を客観視した。自称現実主義者がよくもまあ恐慌《きょうこう》も狂乱も無しにこの異常事態を受け止めることができたものだと我《わ》が事ながら感心し、そんな華乃の思いを知ってか知らずか、マスコットキャラクターはこういった。

「自分が魔法少女になったことを受け止められないような子は、そもそも魔法少女に選ばれたりしないぽん」

ここから魔法少女としての活動が始まるのかと思えばそういうわけにはいかなかった。先輩魔法少女からレクチャーを受けるという予定を聞き、華乃は暗然とした。想像するだけで「面倒くさく」「鬱陶しい」ではないか。

「ファヴがサポートするっていってたのに……」

「できる限りのことはしてあげたいけど……ファヴは一人しかいないから、なにからなにまでしてあげることは不可能ぽん」

思えば「魔法少女育成計画」のチュートリアルもやたらとくどく、しつこく、ボタンを押すだけのことを何度も繰り返し強制するという、プレイヤーが想像力のない愚《おろ》か者であることを前提にした作りだった。華乃はもらったばかりの魔法の端末の電源を落とし、舌打ちをした。ハート型の画面はとても見にくい。

華乃は人間と会話をすることが苦手だ。もっと端的《たんてき》にいえば人間が苦手だ。群れようとし、群れたことで強くなったつもりでいる人間が嫌いだ。

それは「魔法少女育成計画」に手を出す原因となったが、まさかその「魔法少女育成計画」でも「面倒くさく」「鬱陶しい」人間関係に悩まされるとは。

先輩魔法少女「トップスピード」に対する第一印象は「馬鹿っぽい」だった。

魔女のとんがり帽子、魔法の箒、魔女のワンピース。典型的な魔女タイプのキャラクターで、顔もリップルに比べてバタ臭く、いかにも魔法少女という大きな青い瞳をくりくりと忙しげに動かし、黄金色の髪を二房《ふたふさ》の三つ編にまとめてたなびかせていた。

丈《たけ》の長い紫地のコートと首から提《さ》げたお守り袋のみが、魔女のアーキタイプに反していた。リップルは、コートの背中に大きく金字で「御意見無用」と刺繍《ししゅう》してあるのを認めた。空飛ぶ箒にはバイクのような風防やハンドル、マフラーや推進装置《ブースター》がゴテゴテと盛られ、「ああ、馬鹿なんだな」と思い、想定していたトップスピードのランクを一段階下げた。

待ち合わせ場所である第七産光ビルの屋上に降り立ったトップスピードは、満面の笑顔とともに親指を立てた右手を突き出した。

「はじめまして！　俺はトップスピード、よろしく！」

「……よろしく……」

「元気ねえな！　飯食ってるか！　ハハハ！」

一人称が俺。馬鹿笑い。リップルの中でトップスピードのランクがさらに下がった。

トップスピードはひらりとビルの鉄柵に腰をおろした。リップルにも座るよう促《うなが》したが、隣に座るのは嫌で、見下ろされるのも気に入らなかったため、この方が楽だからと壁によりかかって立ったままでいた。

トップスピードは話し始めた。魔法少女がなすべきこと。魔法の力を使って、人々の生活を手助けするような善行《ぜんこう》を積み、それによってマジカルキャンディーを増やすのだ。

「善行……？」

「ゲーム内じゃ敵を倒して増やすってことになってるけどさ、現実世界にそうそう敵なんていねえっつうのな。こういう浮世離れした稼業《かぎょう》だって地道にやってくのが一番ってことなんだろ」

訳知り顔で語るトップスピードに対し、リップルは心の中で舌打ちをした。

他には、魔法少女にしか扱《あつか》うことができない「魔法の端末」の操作方法を教えられた。魔法少女にしか扱うことができないなどと大仰《おおぎょう》な物言いだったにもかかわらず、教わった操作方法は通常のスマートフォンと何ら変わることはなかった。それを特別なあつらえ物であるかのように話すトップスピードに対してさらに苛立《いらだ》ちを募《つの》らせたが、それを面に出すことはなく、やはり心の中で舌打ちをした。

リップルは教わった方法に従ってパーソナルデータのページを呼び出した。身長、体重、身体のサイズが記《しる》されている。男性の平均よりも三センチ背が高く、がっちりとした華乃の体格は、リップルに変身することで身長体重体格全てが女性的になっていた。

「性格」の欄には「人間嫌いで暴力的」とあり、正しく把握《はあく》されているという自覚はありながらもそれゆえに腹が立ち、「手裏剣を投げれば百発百中だよ」と記された「魔法」の欄《らん》を見て、心の中でなく実際に舌打ちをした。

「ん？　どした？」

「魔法が一つしかない……」

しかも地味だ。忍者が手裏剣を投げるのは能力というより技術ではないのか。分身とか火遁《かとん》とか、忍者なら他にもありそうなものなのに。

「魔法少女に与えられる魔法の力は一つだけなんだとさ。ゲームん中じゃいろんな魔法を使って便利だったけど世知辛《せちがら》いよなあ」

トップスピードからの説明は、それ以外にもリップルを憂鬱《ゆううつ》にさせることばかりだった。

魔法少女には守らなければならない「魔法少女のルール」がある。それは「一般人に正体を知られてはならない」と「魔法少女のルールや力を一般人に話してはならない」という二つの決まり事で、それを犯せば魔法少女としての資格を剥奪《はくだつ》される。

週に一度チャットがある。強制参加ではないが、重要な連絡があったりもするためなるべく毎回参加した方がいい。

一部の魔法少女は縄張り意識が強い。カラミティ・メアリの城南地区、ルーラの西門前町、この二地区には近寄らない方がいい。カラミティ・メアリは好戦的で、ルーラは口煩《うるさ》く、どっちに絡まれても面倒なことになる。

シスターナナがうっかりカラミティ・メアリの縄張りに入って撃《う》ち殺されそうになった。ピーキーエンジェルズを撮影した動画が投稿された時はちょっとした騒ぎになった。このような体験談を交えて楽しげに話すトップスピードは、リップルをげっそりさせた。

ようやく諸注意を終えたトップスピードが、箒に跨り夜空に消えると、リップルは舌打ちをした。

「あのさ……」

「どうしたぽん？」

「ああいう説明役は誰が決めてるの……？」

「親切な先輩魔法少女が自主的にやってくれるぽん。トップスピードの説明は普通より三倍くらい時間がかかるけど、それだけ丁寧《ていねい》に教えてくれるぽん」

自分の受けた注意と説明が、押しつけがましい親切によるものだったと知り、さらに必要以上に長かったことも教えられ、リップルはここ数年で最も大きな舌打ちをした。

トップスピードは「馬鹿っぽい先輩」から「先輩ぶった馬鹿」に位置づけが変更された。

しかしそれ以降もトップスピードはなにかと理由をつけてはリップルの所にやってくる。舌打ちをくれようと、もう来なくていいと直接告げようと「ツンデレだね」で片づけられた。なにをいっても言葉が通じないと判断し、ほとんど相手をしないようになったが、それでも話したいだけ話してから帰っていく。先日などはタッパーに詰められた里芋《さといも》の煮物を持ってきた。さも嫌そうに一口かじってみると美味だった。

◇◇◇

夏場は観光客でごった返す倶辺ヶ浜《くべがはま》も、秋にもなれば閑散《かんさん》とし、さらに日が暮れた後は人通りがほとんどない。そんな人気《ひとけ》のない倶辺ヶ浜海水浴場を一望《いちぼう》に見渡せる丘の上の一際《ひときわ》大きい鉄塔、その上に二人の魔法少女が並んで腰かけていた。一人は学生服をモチーフとした白い魔法少女で、もう一人は中世の騎士のように見えるが長い尻尾が生えていた。二人は、顔を寄せ合って魔法の端末の中にいるマスコットキャラクター「ファヴ」と会話をしている。

魔法少女は、ビル、鉄塔といった建造物のてっぺんを好む。背が高く、人気のない建物は、ただでさえ目立つ扮装の魔法少女にとって格好の休憩所になるからだ。空を飛ぶ魔法少女はごく少数だが、空を飛べない魔法少女であっても、地面を走るのと同じようにしてビルの壁面を駆け上がることができるくらいの身体能力がある。

「次のチャットはぜーったいに来てもらわないと困るぽん」

「どうして？」

「重大発表があるぽん」

「新しい子が入るらしいって聞いてたけど、そのこと？」

「それに伴《ともな》って大きなイベントがあるぽん」

「どんなイベントなの？」

「それは当日のお楽しみぽん」

「ふうん」

スノーホワイトは魔法の端末の電源をオフにし、鉄塔に対し直角に腰かけていた姿勢を斜め四十五度にずらした。ラ・ピュセルの膝に自分の膝をあて、会話がしやすい状態を作り、

「ねえねえそうちゃんそうちゃん。今の話聞いた？」

話しかけた。

「聞いた」

頓狂《とんきょう》な調子で喋るスノーホワイトに対し、ラ・ピュセルはどこか物憂げな様子で応じた。

「どう思う？」

「最近チャットの参加者が少ないから。ファヴとしてもチャットの参加者を増やしたくてあんなことをいっているんじゃないか」

「少ないの？」

「少ないよ。昨日だって七人しかいなかっただろ。君と私とねむりん、クラムベリー、トップスピード、シスターナナ、ウィンタープリズン」

「最近じゃ多いほうじゃない」

「それが少ないというんだ。全員集合なんて今までに一度でもあったか？」

参加が推奨されている週に一度の魔法少女チャットは、あくまでも推奨であり、強制ではないことから次第に参加者が減っていった。ファヴはなにかとそのことに触れ、皆もっと情報を交換すべきだ、魔法少女同士で親睦《しんぼく》を深めるべきだ、と主張していたが、その主張を真剣に聞いていた者はほとんどいなかった。

スノーホワイトとラ・ピュセルは高い頻度《ひんど》で参加していた。両者とも魔法少女愛好家であるため、自分達以外の魔法少女と触れ合う数少ない機会を活《い》かしたかったのだ。チャットのおかげで親しくなることができた魔法少女も何人かいたのだから、少なくとも二人にとっての魔法少女チャットは無意味な存在ではなかった。

「でもさ、あのチャットルームって狭苦しいからあんまり人数多いと疲れちゃいそうだよね」

魔法少女チャットは会議室を模した仮想空間に、自分の姿をモデルにしたデフォルメキャラクター「アバター」が入って会話をするという形式をとる。

「ぎゅうぎゅうに詰めてたって実際苦しいわけじゃないからいいじゃないか」

「でもさ、そうちゃん」

「それ!」

ラ・ピュセルは人差し指を立ててスノーホワイトに突きつけた。スノーホワイトはきょとんとして人差し指とその持ち主を見返した。

「この格好してる時に『そうちゃん』はやめなさい」

「あ、ごめんねそうちゃ……」

謝りながらも同じ失敗を繰り返し、スノーホワイトは笑ってごまかそうとした。ラ・ピュセルもつられて人差し指を突きつけたまま笑った。


姫河小雪《ひめかわこゆき》にとって、魔法少女は永遠の憧《あこが》れだった。

幼少時、熱心に視聴していた「ひよこちゃんシリーズ」では可愛らしいひよこちゃんの活躍に一喜一憂《いっきいちゆう》し、そこから「スタークィーンシリーズ」「キューティーヒーラーシリーズ」に入り、悪と戦う少女達の勇姿《ゆうし》に魅了《みりょう》されてきた。

自分と同じ魔法少女好きの幼馴染《おさななじみ》が親戚のお兄ちゃんから借りてきたという昔のアニ

メを見せてもらったこともあった。「メリーさん」「リッカーベル」「みこちゃん」などなど。魔法で人を幸せにし、どんな危機にも挫《くじ》けたりしない。自分は将来彼女達と同じ魔法少女になるのだ、と宣言《せんげん》し、男だからせいぜい魔法使いになることしかできない幼馴染を羨ましがらせた。

小学校中学年、高学年、魔法少女なんて幼稚だと切り捨てる同級生が続出する中、小雪は魔法少女に固執《こしつ》し続けた。小雪にとっての魔法少女はただのフィクションではなかった。絶対に捨ててはならない自分の芯《しん》になっていた。「魔法少女になって人々を幸せにしたい」という夢を口にすれば馬鹿にされることがわかっていたため、思いは胸に秘めるようになり、秘めながらも捨てることだけはなかった。

小雪は中学生になり、「魔法少女育成計画」と出会った。魔法少女になりたいと願い続けてきた少女が、魔法少女になれるという噂のゲームを知るのは必然だった。

とはいえ魔法少女になるという確信を抱《いだ》いてゲームを始めたわけではない。魔法少女になれるって嘘だろうなー、たぶん噂は噂でしかないんだろうなー、でもなれたらいいなーって思うくらいならいいよなー、別になれなくても魔法少女のゲームは興味あるしなー、それにどれだけ遊んでも無料だしなー、という軽い気持ちで始め、ゲーム開始後二十八日目、姫河小雪は魔法少女「スノーホワイト」になった。

鏡の中には幼い頃に思い描いた魔法少女の姿があった。思い描くだけではなく、画用紙にその姿を描いたこともあった。当時流行《はや》っていた漫画の主人公が通う中学校の学生服をモデルにし、スノーホワイトの名が示す通り全体に真っ白く、そこかしこに白い花飾りが散らしてある。愛嬌《あいきょう》があるといわれたことはあっても美人だといわれたことはない小雪と違い、鏡の中の魔法少女は美しかった。肌は透き通る白さで睫毛《まつげ》が長い。小雪とはまるで違うのに、自分であるということに違和感がなかった。

夢とは思わなかった。非現実的なのに、圧倒的な現実味があった。快哉《かいさい》を叫び、喜びのあまり飛び上がった。そして天井に頭を打ち床に叩き落された。

大きな音に驚いた母が、なにかあったのかと部屋まで来たが、変身を解除し、なんでもないちょっと転んだだけと無理のある言い訳でなんとか追い返し、人間に戻ってみるとやはりあれは夢だったのかもと思えてきて、もう一度変身してみた。

そこには魔法少女「スノーホワイト」がいた。

「やった……やった……やったあああああ！」

「おめでとぽん」

「やった！　やった！　やったあ！　ありがとうファヴ！　これからもよろしくね！」

小雪は、その日一日中絶えずにやにやしながら過ごし、転んだ際に頭を打ったのではないかと母を心配させた。

夜になってから両親に気づかれないようこっそりと家を抜け出た。誰もいない深夜の校庭で、跳び、跳ね、キック、パンチ、宙返り、連続バク転、内側からこみ上げる力を少しずつ解放し、以前の自分にはできなかった動作の一つ一つを確認した。ああ、憧れ続けていた魔法少女になったんだ。そんな実感が沸《わ》き起こる。息つく暇《ひま》もなく喜びと興奮が押し寄せてきた。

くるりと横に一回転し、それに合わせてスカートが翻《ひるがえ》った。もう少しスカートを長くしておけばよかったかもしれない。普段小雪が着ている制服に比べてスカートの丈が随分と短い。人前ではあまり大きなアクションをとらない方がよさそうだ。

「そういえば魔法って使えないの？」

「魔法の端末でパーソナルデータを参照すればいいぽん」

魔法の端末を立ち上げ、パーソナルデータを閲覧《えつらん》する。そこには魔法少女「スノーホワイト」の様々な情報が掲載《けいさい》されていた。

「ねえファヴ」

「どうしたぽん？」

「性格なんだけど。『うっかり者』と『正義感が強い』はともかく『妄想癖《へき》がある』って」

「人間、自分を客観的に見るのは難しいぽん」

「そういうものなのかな……」

「魔法」の欄《らん》には「困っている人の心の声が聞こえるよ」とあった。

「世のため人のため魔法を使う魔法少女」という小雪の理想像にぴったりと当てはまる魔法といえる。小雪は魔法の国に感謝した。魔法少女にしてくれてありがとう。この素敵な魔法を授《さず》けてくれてありがとう、と。

その日からスノーホワイトとしての活動が始まった。夜こっそりと自室の窓から抜け出す。困っている人を探し出し、その人の悩み事を解決する。それは自宅の鍵を落とした中学生だったり、自転車を盗まれてしまった大学生だったり、カツアゲにあっているサラリーマンだったりした。

浮気がバレないか心配だ、片想いの子に告白しようか迷っている、年金がもらえるか不安でならない、といったスノーホワイトではどうしようもない悩みも多かった。なにせ困り事を察知する魔法は持っていても、それ以外の特殊能力はないため、魔法少女として強化された腕力・脚力・視力・聴力を活用し、泥臭く人助けをしていくしかないのだ。ただ、そういった泥臭い手助けで解決できる悩みを持つ人は尽きることがなかったため、仕事は多忙《たぼう》を極めた。

魔法少女になってほんの二日ほど、まだ先輩からのレクチャーも済んでいないというのに、スノーホワイトのマジカルキャンディーは瞬《また》く間に貯まり、魔法の端末内にあるキャンディー倉庫はマジカルキャンディーの瓶詰《びんづ》めでいっぱいになった。

はじめての魔法少女チャットでは快《こころよ》く出迎えられた。

魔女のアバターはトップスピード。

修道女のアバターはシスターナナ。

長いマフラーが特徴的なアバターはヴェス・ウィンタープリズン。

パジャマのアバターはねむりん。

花に包まれたアバターは森の音楽家クラムベリー。

騎士のアバターはラ・ピュセル。

トップスピードは体験談を面白おかしく教えてくれた。シスターナナはそれに相槌《あいづち》を打ちながら時折《ときおり》自分が体験したことと対比してみせ、ねむりんは「自分でやるより他人がしたことを聞く方が面白い」と聞き役に徹《てっ》し、ウィンタープリズンは黙ってシスターナナの傍《かたわ》らに立ち、クラムベリーは部屋の隅《すみ》で椅子《いす》に座ってBGMを流していた。

終了直前、スノーホワイトはラ・ピュセルから話しかけられた。担当地域が隣ということもあるので新人の教育係を引き受けた。どこかで待ち合わせ、会うことはできないだろうか、と。スノーホワイトは了解し、翌日深夜0時、倶辺ヶ浜海水浴場近くの一番大きな鉄塔で会うことを約束した。

アバターでチャットはしたものの、自分以外の魔法少女と直《じか》に顔を合わせるのは初めてのことだ。いつも上《うわ》の空な授業にはさらに身が入らず、先生から三度注意され、友達からも心配された。小雪自身が魔法少女になった今も、魔法少女が憧れの存在であることになんら変わりはない。その憧れの存在と会って話をすることができる。ファンとスターではなく、対等な魔法少女同士としてだ。胸が高鳴らないわけがない。

間違っても遅刻してはならないと待ち合わせの十五分前に鉄塔のてっぺんまで駆け上がったが、すでに待ち人は到着していた。

魔法少女は夜目《よめ》が利《き》く。月のない闇夜でも昼と同様に見通すことができる。

鉄塔の上には一人の騎士が立っていた。要所要所を篭手《こて》、胸当て、脛《すね》当て等で固め、幅四十センチ、長さ一メートルはあろう一振りの巨大な剣を背負《せお》っている。鞘《さや》には吠《ほ》え猛《たけ》る竜の意匠《いしょう》が施《ほどこ》されている。角のような髪飾り、腰から伸びた尻尾《しっぽ》のような装飾も竜を基調としているがゆえだろうか。

そういった無骨《ぶこつ》な騎士としての要素だけでなく、魔法少女……つまり女性としての魅力は鎧《よろい》の上からでも窺《うかが》い知れた。太股《ふともも》や胸元といった、本来隠すべき場所が露《あらわ》になっていたからだ。肩にかかるかかからないか程度に髪がまとめられ、左右から垂らしている。

海の方を見ていたラ・ピュセルは、スノーホワイトの到着を受けて体の向きを変えた。表情は凛々《りり》しいが、かすかに困惑が見える。スノーホワイトは慌てた。ひょっとして自分が遅れてきたせいかもしれない。

「あ、あのはじめまして……ってこの前お話ししたけどあれってチャットだったし、そのリアルだとはじめまして……でいいのかな？　とにかくはじめまして！」

あまり良い挨拶だとはいえない。むしろまずい挨拶だ。そのことは頭を下げた本人が誰よりもわかっていた。ちらっと相手の顔を窺うと、ラ・ピュセルは腕を組み、二度三度深く頷き、ハスキーな声で「やっぱりな」と呟いた。

「小雪？」

初めて会う魔法少女に本名を口にされ、スノーホワイトの頭の中で疑問符が明滅《めいめつ》した。

「な、なんでわたしの名前、知ってるんですか？」

「やっぱり小雪だよな。僕だよ、颯太《そうた》」

「えっ」

「岸辺颯太《きしべそうた》だよ。一昨年まで同じ学校通ってただろ。忘れたなんていわせねーからな」

「え、え、え……えええええええっ！」

岸辺颯太がスノーホワイトの正体に気づいた理由は単純である。スノーホワイトのキャラクターデザインは幼少時の小雪が画用紙に描いた「将来の夢」である魔法少女を元にしており、小雪の幼馴染だった颯太は、その魔法少女像が描かれた場に居合わせ、さらに絵を記憶していたため、スノーホワイトのアバターを一目見て「これはひょっとして」と考え、実際に会ってみてその考えを確固たるものにした。

姫河小雪がラ・ピュセルの正体に気づかなかった理由もまた単純である。日に焼けた元気なサッカー少年と高潔な女騎士のイメージが直結するわけがなかったからだ。魔法少女に変身することで体格や容姿、外見年齢、身体能力が変化することは身をもって知っていたが、性別まで変化するとは知らなかった。

二人は鉄塔の上に並んで腰かけ、明け方近くまで旧交を温めた。

「小雪も『魔法少女育成計画』で？」

「うん。ある日ファヴが話しかけてきて、そういうイベントなんだと思ってたら魔法少女になってたの。そうちゃんは魔法少女になってからどれくらい？」

「だいたい一ヶ月くらいかな。しっかしなー。まさか小雪も魔法少女になるなんてな」

「わたしはずっと魔法少女が好きだったもん。そうちゃんの方が意外だったよ」

「僕だって魔法少女はずっと好きだったよ。誰にもいわなかっただけで」

颯太は語る。女子が魔法少女好きであることと男子が魔法少女好きであることは天と地ほども隔《へだ》たりがある。中学生にもなって魔法少女が好きだという女子は変わり者として扱われる。それが男子であれば変わり者ではなく変態として扱われる。顔見知りが少ない隣町のレンタルショップにまで足を伸ばしてＤＶＤを借りてきたり、魔法少女ものの漫画やライトノベルを学習机の奥に隠し持っていたりといった隠れキリシタン的苦労があったのだという。

「そうちゃんは魔法少女なんて忘れちゃってサッカーに夢中なんだと思ってた」

学区が違うせいで中学校は別々だったが、部活の朝練で早朝から走っている颯太を何度か見たことがあった。

「サッカーも楽しいけど魔法少女とはまた別腹だから」

「他にもいるのかな、男の人の魔法少女」

「界隈《かいわい》じゃ僕だけだって。世界的に見てもかなり珍しいんだってさ。ファヴがいってた」

「本当に女の子になってるの？」

「変身すれば完全に女だ。うん、間違いない」

そう話すラ・ピュセルはなぜか恥ずかしげで頬はうっすら赤かった。

お互いに今後も協力し合うことを約束し、二人きりの時も魔法少女としてのキャラクターを忘れず地を出さないよう気をつけること、とルールを取り決めた。

こうしてスノーホワイトとラ・ピュセルはコンビを組んだ。

スノーホワイトの耳には困っている人の声が届く。ちょっとした困り事だろうと、大きな厄介事《やっかいごと》だろうと、区別なくスノーホワイトに伝わってくる。これがスノーホワイトの魔法だ。その声を求めて街を駆け回る。

ラ・ピュセルはそれを手伝うようになった。ラ・ピュセルの魔法はスノーホワイトのように平和的ではなく、もっと荒事《あらごと》向きだった。本人曰くボディーガード役で、なにかあれば守ってやると息巻いていたが、魔法少女を脅かす存在がそうそうあるはずもなかった。

『チャット　その1』

「魔法少女育成計画」のチャット機能は「アバターによる現実と変わらないコミュニケーション」を標榜《ひょうぼう》している。

週に一度、魔法少女達によって開かれている魔法少女チャットも「魔法少女育成計画」のチャット機能を用いて行われていた。会議室を模したチャットルームの入り口が開き、一人、また一人と魔法少女のアバターが入室する。

☆クラムベリーさんが魔法の国に入国しました。
☆マジカロイド44さんが魔法の国に入国しました。
☆スイムスイムさんが魔法の国に入国しました。
☆トップスピードさんが魔法の国に入国しました。

マジカロイド44：どうもデス
トップスピード：ちーっす
クラムベリー：♪
☆スノーホワイトさんが魔法の国に入国しました。
☆たまさんが魔法の国に入国しました。
☆ねむりんさんが魔法の国に入国しました。
スノーホワイト：こんばんは！　よろしくね！
スイムスイム：よろ
たま：わんっ
☆リップルさんが魔法の国に入国しました。
トップスピード：珍しいのがきてんなー
☆ラ・ピュセルさんが魔法の国に入国しました。

ねむりん：どもども
マジカロイド44：コンバンハ、レアキャラデス
☆ルーラさんが魔法の国に入国しました。
ラ・ピュセル：よろしく頼む
☆カラミティ・メアリさんが魔法の国に入国しました。
ルーラ：よろしく。
☆シスターナナさんが魔法の国に入国しました。
☆ウィンタープリズンさんが魔法の国に入国しました。
シスターナナ：こんばんは皆さん。よろしくお願いいたします。
ウィンタープリズン：どうも

☆ミナエルさんが魔法の国に入国しました。
☆ユナエルさんが魔法の国に入国しました。
カラミティ・メアリ：（使用が禁止されている言葉です）
ユナエル：ハーイ
ミナエル：いぇーい
☆ファヴさんが魔法の国に入国しました。

チャットルームが魔法少女のアバターで満たされた。

ベッドに腰かけ魔法の端末を操作していた「森の音楽家クラムベリー」は、ゆっくりとベッドに倒れこみ、体を天地反転させ、擦《す》り切れたシーツの上でうつ伏《ぶ》せの姿勢になった。花の髪留めで結わえた髪がさらりと跳ね、腰の辺りに落ちたかすかな感触があった。

背の高い建物のてっぺんが魔法少女にとっての最適な休憩所だとすれば、山奥の廃屋《はいおく》は魔法少女にとっての最適な住居になる。クラムベリーのような「人間としての生活を持たない魔法少女」には、屋根があって人気がなければそれでいい。高波山《たかなみやま》の山頂近く、建設途中で打ち捨てられたリゾートホテルを住処《すみか》とし、クラムベリーは、誰に悟られることもなく半年以上暮らしている。

ファヴがしつこく「重大発表があるぽん」と念押ししていたのも手伝い、その週のチャットをサボタージュした魔法少女は一人もいなかった。リップルなどは仕方なく参加してやった感がありありと見え、入ってくるなり一言《ひとこと》のコメントもなく押し黙っていたが、それでもN市内で活躍する全魔法少女が一堂に会したのだ。N市魔法少女チャットが開設されて以来の快挙である。狭いチャットルームはアバターですし詰めになっている。

トップスピード：そういや新しい魔法少女がくるんじゃねーの？
ファヴ：ああ、それ来週からぽん
ファヴ：今日話すことはその子にも関わりがあることなんだけど……

現在N市で活動する魔法少女は十五名。新規魔法少女が追加されるため、来週以降は十六名となる。十六名の魔法少女は、広い広いN市にとってさえ多すぎる人数だ。魔法の源となる魔力は土地に依存《いぞん》し、同時に限りある資源でもある。十六名もの魔法少女は魔力の吸い上げを加速させ、このままではほどなく土地の魔力が枯渇《こかつ》してしまうだろう。

そのような現状説明の後、ファヴはやるぞやるぞと宣言していた「重大発表」をした。

ファヴ：というわけで魔法少女の人数を減らすことにしたぽん。半分の八人にするぽん

一瞬の静寂《せいじゃく》を置き、魔法少女達はファヴの発言内容を理解したのだろう。嵐のようなブーイング、溢《あふ》れかえる不平不満、消えることのない疑問と質問。水面の乱れようで石の大きさが知れる。大声から色付き声まで、画面がアバターの吹き出しで満たされ、ただでさえ狭かったチャットルームがまともに閲覧《えつらん》できるかさえ怪しくなった。

ファヴはひたすらに平身低頭《へいしんていとう》で「ごめんなさい、ごめんなさい」と繰り返す。こころなしか常日頃よりリンプンの量も少ないように見えた。

魔法少女達は気色《けしき》ばみ、ファヴに食ってかかった。しかしどれだけ罵倒《ばとう》しようとファヴが謝り続けるために言葉は尽き、罵《ののし》り文句は疑問に変化した。

いったいどのような手段を用いて人数を減らすのか？

ファヴ：この魔法少女チャットは一週間に一度開かれているぽん

ファヴ：週に一度、このチャットで脱落者を一人発表して、翌日また一人、というように

ファヴ：八週間で八人に魔法少女を引退してもらうぽん

ファヴ：その週で一番マジカルキャンディーの少ない魔法少女が
ファヴ：一人ずついなくなっていくぽん

クラムベリーはよく知っている。

この場面で「そちらの不備を棚《たな》に上げてなにを偉そうに。そんなことなら私は魔法少女やめます」といってしまえる人間が、ここにはいないことを。

ここにいるのは、自分が魔法少女であるという事実を、悦《よろこ》びとして享受《きょうじゅ》していた者ばかりだ。一度強大な力を得た者が、それを手放すことを喜ぶはずがない。

高みに達した者ほど奈落《ならく》へ落ちる絶望感は深く大きい。

ファヴ：もう一度
ファヴ：一週間に一人、マジカルキャンディーの少ない子から脱落してくぽん
ファヴ：だからいっぱい活躍していっぱいキャンディーを集めてほしいぽん
ファヴ：今回はみんなに迷惑をかけることになってホントにホントにごめんなさいぽん
ファヴ：あ、それと
ファヴ：魔法の端末がバージョンアップしたからそれも見ておいてほしいぽん
ファヴ：連絡は以上ぽん

ファヴ：それじゃまた一週間後にここで

クラムベリーはチャットからログアウトし、魔法の端末の電源を切って枕元《まくらもと》に放った。

◇◇◇

チャットから一週間。普段よりも多くの目撃情報が寄せられ、まとめサイトは大いに盛り上がった。

お姫様が怖い犬を追い払ってくれた。

双子の天使が空を飛び、うっかり手放してしまった風船を取ってきてくれた。

白い学生服の少女が、側溝《そっこう》に脱輪した車を後ろから押してくれた。

魔法少女達が活動の幅を広げようとすれば、それだけ人の目に触れる機会が増える。魔法少女として残る八人の中に入ろうと、少しでも多くのマジカルキャンディーを求める必死の活動は、意図せぬ露出を増やし、まとめサイトを盛り上げ、注目度を上げた。

「リップルなに見てんの？」

ビルの屋上に腰掛けていたリップルの頭上から、声が降ってきた。リップルは返事をせず、顔を向けることもなく、黙って魔法の端末に向かい続けた。

「ああ、まとめサイト見てんのか。みんな頑張ってっからなー」

トップスピードが傍《かたわ》らに降り立ち、ここで初めてリップルは顔を向けた。

「特にスノーホワイトがすごいな。一人でどんだけ働いてるのかっつう」

白い魔法少女に関する目撃情報は飛び抜けて多い。活躍が派手というわけではなく、「散らばった小銭を拾うのを手伝ってくれた」「家に忘れてきた弁当を持ってきてくれた」「ファスナーの閉め忘れを教えてくれた」という日々の小さな問題解決ばかりだ。

日々の小さな問題を解決することこそが魔法少女の王道なのか。大きな問題に関わるだけの器がないのか。まとめサイトでの目撃情報を見る限りでは前者に思える。

幼い頃に憧れていた清く正しく良い子な魔法少女。人助けはあくまでキャンディー集めのためだと放言しているリップルとは対極の存在といえる。リップルだって人助けがしたくないわけではない。照れ臭いからそういってるだけだ。だが、照れもせずに「人助けがしたい！」と断言して実行できるのが正しい魔法少女なんだろうとも思う。

「リップルさー。すげースノーホワイト気にしてんよね。ライバル？」

リップルは鋭《するど》く舌打ちをした。郷愁《きょうしゅう》に水を差されたような気がした。

「リップルのライバルってカラミティ・メアリなんだと思ってた」

舌打ちをした。誰のせいだと思っているのか。

カラミティ・メアリは、リップルが魔法少女になってからまだ数日という時分、リップルとトップスピードの溜り場と化していた第七産光ビルの屋上へやってきたことがある。隣のビルからひらりと飛び移り、屋上に降り立ったその姿は、噂に聞いていた女ガンマンそのもので、あまり魔法少女っぽくないと、自分自身を棚に上げてリップルは思った。

カラミティ・メアリの用件はシンプルでわかりやすかった。

「リップル、だっけ？　そこのお嬢ちゃん」

カラミティ・メアリの外見年齢は高校二年から三年生くらいか。リップルやトップスピードに比べて肉体的に成熟している。乳も尻もでかい。外見年齢中学生のリップルをお嬢ちゃんと呼ぶ権利はないわけでもない。その呼び方にいささかの反発を覚えながらも、リップルはこのように己《おのれ》を納得させ、小さく頷いた。

カラミティ・メアリはテンガロンハットを指先で弾いた。

「次の教育役はあたしがするってファヴにいっておいたはずだけど？」

「ああ、それは、近くに新人が配属されることがあったら俺に教育役やらせてくれって前から予約してあったんすよ。せっかくだからお隣さんのよしみでってー話で」

リップルが任されたのはかつて城下町として栄えた地域の中央に位置する中宿《なかやど》。トップスピードの担当地域は北側の北宿《きたやど》。当然隣り合っている。

「随分前から頼んでたんで、ファヴがこっちに先に声かけてくれたんでしょう。まさか姐《ねえ》さんに話がいってるなんてこと思ってもいませんでした。本当に差し出がましい真似してすみません」

「へえ」

カラミティ・メアリは帽子をとって頭を下げるトップスピードには目もくれず、リップルをじろじろと眺めた。不躾《ぶしつけ》な視線に不快感を覚え、ほとんど無視されていながらも頭を下げているトップスピードにも苛立ち、リップルはカラミティ・メアリを睨《にら》みつけた。カラミティ・メアリがホルスターから銃を抜き、リップルに向けて発砲した。リップルは背中の刀を抜いて飛来した弾丸を弾いた。一連の動作は二人合わせてコンマ一秒にも満たない時間で行われた。

トップスピードが慌てて頭を上げた。

「あんたらなにしてんだ！」

「見りゃわかんだろうよ。なあお嬢ちゃん」

リップルはカラミティ・メアリの右手に握られている拳銃を強く睨んだ。黒い銃身から赤い靄《もや》のようなものが立ち昇っていた。あきらかにただの拳銃ではない。カラミティ・メアリの魔法だろうか。刀を握った手には、まだ痺《しび》れが残っている。

トップスピードは二人の間に入って両手を広げた。

「姐さん！　押さえて！　新人が生意気《なまい》いうのは毎度のこと！　後でいい聞かせますか

ら！　どうかここは一つ矛《ほこ》を収めて！　お願いします！」

　カラミティ・メアリに向かって叫びつつ、リップルにも小さく声をかけた。

「あんたもそれしまって。危ないから」

　カラミティ・メアリがくるくると拳銃を回してホルスターに落とした。リップルも刀を背中に戻す。トップスピードはほっと息をついた。

「穏便《おんびん》に、どうか穏便に。俺ら皆、魔法少女仲間なんすから」

　カラミティ・メアリがどう思っていたのかはわからない。ただ、トップスピードがいうように、仲間だから武器を収めたわけではないだろう。リップルにはカラミティ・メアリが仲間とは思えず、きっとカラミティ・メアリにとってのリップルも同じだ。

「まあ、そういうことでいっか。ファヴの顔立てとくよ」

　カラミティ・メアリは、それだけいうと、鉄柵に手をかけひらりと身を躍《おど》らせ、そして突然振り返った。リップルの心臓は再び跳ね上がった。カラミティ・メアリは拳銃を手にし、銃口をこちらに向けていた。抜いた動作など何一つ見えていなかった。

　立て続けに銃弾が発射された。トップスピードに向かう弾丸が一発、リップルに二発。リップルはトップスピードの襟首を掴《つか》んで地面に引き倒し、同時に抜いていた刀で、膝をついたまま弾丸を弾いた。小柄《こづか》を投げ返そうとした時にはすでにカラミティ・メアリの姿はなかった。

「お前らなあ……」

引き倒されたトップスピードが顔面をさすりながら起き上がった。打ちつけてしまったらしく、鼻と額《ひたい》を押さえている。

「どんだけ喧嘩《けんか》っ早いんだよ！　自重《じちょう》をしろ！　自重を！」

「喧嘩売られたら……買わないと……」

「相手選べって！　あんなのにいちいちかかずらってたら命いくつあっても足らんわ！」

リップルは舌打ちをした。動揺し、苛立っていた。

終始相手にされていなかったトップスピードの情けなさに。

躊躇《ちゅうちょ》なく発砲してきたカラミティ・メアリの異常性に。

強がってはいるが、いきなり銃を向けられて実は滅茶苦茶にビビッている自分に。立ち上がることができず、心臓は跳ね上がり、汗がだらだらと流れ落ち、気を緩《ゆる》めれば泣き出してしまいそうなのをなんとか押さえている。

刀で銃弾を弾いた右腕にビリビリと衝撃が伝わっている。魔法少女になった時は、肉体的な強靭《きょうじん》さを自覚して「自分は死なない」とさえ思っていたが、違っていた。人間に殺されることはない。事故や病気で死ぬこともないだろう。しかし、魔法少女がどんなに頑丈でどんなに打たれ強くても、魔法少女なら魔法少女を傷つけることができるのだ。

それら全てに腹が立った。トップスピードが呆《あき》れたように、

「剥《む》き出しの刃物みたいな感じが昔の俺みたいだわ、リップルは。お前さん放っておくと危ないわ。放っておいたらマジでデンジャーだわ」

などと知ったふうな顔で腕組みして話すのを聞き、リップルはもう一度舌打ちをした。

◇◇◇

午後五時ともなれば、駅前のハンバーガーショップは、連日、学生達で大混雑している。めいめいが勝手に話し、騒ぎ、笑い、それでも混雑が混乱に至らないのは、それが毎日行われていることだからだろう。客も店員も慣れたものだ。

入り口から三つ目の窓際席を占めている三人の女子中学生も喧騒《けんそう》の中で普通に会話を交わしていた。一人がスマートフォンの画面を指差して熱心に話している。

「もんのすごい勢いで目撃情報増えてんだって！　これマジにいるよ魔法少女！」

「スミ……あんた、まだ魔法少女がどうこういう話してるの？」

「これだけ見た人いるならよっちゃんも文句ないでしょ。絶対いるわー、超いるわー」

「文句あるっつーの。ないわ、魔法少女とか」

「ね、ねえ。よっちゃんはどうして魔法少女がいないと思うの？」

「おー、いったれ小雪、夢見がち代表として」

「なんていったってさー、ありゃ恥ずかしいわー」

「どうして恥ずかしいの？」

「なにさ小雪。随分食ってかかるね」

「だって、気になるもん」

「ほら、アニメとかだとさ。女の子が魔法少女に変身すると一瞬だけ全裸になったりするじゃん。あれはねー、本当どういう羞恥《しゅうち》プレイだって話で」

「そんなのないって！　嘘だよそれ！」

「ちょっと落ち着きなって。アニメの話だっていってるじゃん」

「だからー、なんでアニメの話にしちゃうかなー。アニメの話じゃないんだってー。マジの目撃情報だっつってんじゃん」

「羽生《は》やして空飛ぶ人間もダンプに轢《ひ》かれても平気な人間もいるわけないっしょ」

「やっぱよっちゃん夢ないなー。いるかどうかわかんないものはいると思った方が楽しいに決まってるのに」

「スミは夢見過ぎ。現実のが大事だし」

「いわれるほど夢見てないって。現実見ながら『いたら面白いなー』くらいに思ってるだけだし。よっちゃん損《そん》してるよー、その生き方。まとめサイト超盛り上がってるよー。すげー色んな魔法少女の情報あるよー。あたしが好きなのはこれだなー、この白い魔法少女。

地に足のついた感じで助けてくれるのがほっとするよね。癒《いや》し系っていうかさー」

「……小雪なんでにやにやしてるの？」

「し、してない！　全然にやにやなんてしてないよ！」

◇◇◇

一週間が経過した。たかが七日程度がやけに長く思えたのは、クラムベリーが今日という日を心待ちにしていたからかもしれない。

他の魔法少女達が普段以上に活動していることはまとめサイトを閲覧すればわかった。脱落したいという者はいないのだろう。クラムベリーは魔法の端末を操作し、魔法少女チャットにログインした。

前回と同様、チャットは非常に高い出席率となり、その場で最もマジカルキャンディーの所有数が少ない魔法少女の名前が発表された。ドラムロールやスポットライトのようなけれん味もなく、あっさりと名指しされたねむりんは、無念や後悔というよりもどこか恥ずかしそうだった。

力を持ち、その力を振るってみたいと思う魔法少女が大半を占める中、彼女は自分で動くより他人の冒険譚《ぼうけんたん》を聞くことを好んだ。チャットにねむりんがいない週はなく、気持ちよく語らせることができる聞き上手だった。クラムベリーはそんな光景を何度となく目にしてきた。

チャットに入《い》り浸《びた》っていたということは、それだけ魔法少女間の付き合いが密《みつ》であったということでもある。クラムベリーのように「ただそこにいる」だけの存在ではなく、聞くことと話すことを惜しまなかったねむりんを知る魔法少女は多かった。スノーホワイトやトップスピード、シスターナナはねむりんとの別れを惜しんだ。

ねむりんは、まとめサイトでみんなの活躍を見てるからね、ずっと応援してるからねと別れを告げ、ファヴの「じゃあさよならぽん」の一言でパジャマのアバターは消え去った。

最下位とのお別れとともにトップの報告もあった。マジカルキャンディーの所有数がダントツなのはスノーホワイトという発表がなされ、みんなもスノーホワイト目指して頑張ろうぽんというファヴの言葉で締められた。

魔法少女は一人去り、二人去り、最後はファヴとクラムベリーのみが残った。クラムベリーが残ったのには理由がある。チャットルームでファヴに質問しておかなければならないことがあったからだ。

クラムベリー：お聞きしたいことがあるのですが、よろしいですか？

ファヴ：なにぽん？
クラムベリー：魔法少女の資格を剥奪されると具体的にどのようなことが起こるのでしょう？
ファヴ：資格を奪われた魔法少女は死んじゃうぽん
クラムベリー：魔法少女として死ぬ、という比喩的《ひゆてき》な意味でですか？
ファヴ：生物として息の根が止まるってことぽん

実にあっさりといってのけた。

クラムベリーはその解答に反応することなくチャットからログアウトし、一週間前そうしたように、枕元に魔法の端末を放った。

チャットに参加していなくてもログを閲覧することはできる。クラムベリーとファヴのやり取りはほどなくして全魔法少女に伝わることになるだろう。脱落者の意味合いが決定的に変化する。それと同時にゲームの意味合いもだ。

クラムベリーは頭の後ろで手を組んでベッドの上に寝転がり、天井を見上げた。

第二章　お姫様と四人のおとも

魔法少女と人間とは別種の生き物である、というわけではない。

魔法少女は人間である。人間が魔法少女になる。

しかし魔法少女になってしまえば、もはや並の人間ではない。魔法の力によって強さを極限以上に引き出された人間である。

「魔法少女である権利を失うってことは生き物としての本質を失くしてしまうってことで。つまりは死んじゃうぽん」

「だからそんなのやなんだってば。死んじゃうくらいなら普通の人間に戻りたい」

「やだっていわれてもなっちゃったものは仕方ないぽん」

「仕方ないってそんな」

「魔法少女というのは戦うための宿命を持っている生まれながらの戦士みたいなもんだぽん。ピンチだからってけしてくじけず、知恵と勇気と魔法で危機を乗り切る。強者との戦いに喜びを覚え、」

スノーホワイトは、魔法の端末の電源を落とし、ファヴとの会話を強制的に打ち切った。数日前にチャットのログを閲覧し、クラムベリーとファヴのやりとりを見てからここまで何度となく口論が繰り返され、しかし会話が噛み合ったことはない。

スノーホワイトは死ぬくらいなら魔法少女をやめたいといい、ファヴは魔法少女をやめたら結局死んでしまうと返し、そういうことはなる前にいえ、ゲームを始めたのはそっちじゃないか、といい合いになり、平行線を辿《たど》り、その平行線は長々と今現在まで伸び続けていた。

スノーホワイトはため息をついた。

誰かに魔法少女であることを明かすことはできない。そうすれば魔法少女である権利を剥奪《はくだつ》されて死んでしまうからだ。父にも母にも友人にも相談することはできない。このまま死んでしまうという相談をすれば、その時点で死んでしまう。

チャットから二日後、地方版の葬儀告知欄に小さく掲載されていた二十四歳の女性、三《さん》条合歓《じょうねむ》。死亡時刻はチャットの終わり際で、若く持病もなかったのに突然の心臓麻痺《まひ》で亡くなったのだという。名前といい時刻といい死因といい、ねむりんとしか思えなかった。

――本当に、死ぬんだ。

スノーホワイトはもう一度ため息をつき、水平線の方を眺めた。魔法少女の視力であれば、鉄塔の上からでも海がよく見える。釣り船が何艘《そう》か沖の方に出ていた。私がこんなに悩んでいるのになんてお気楽な、と理不尽な怒りを覚え、理不尽であると自覚しているからこそがっくりとへこんだ。

結局自分の心配ばかりしていた。ねむりんの死よりも自分のことを優先している。あれだけチャットで話したのに、魔法少女仲間だと思っていたのに、泣いて、眠って、目が覚めたら後は自分の心配だけ。自己嫌悪。死への恐怖。胃が重い。吐き戻してしまいたい。でも死にたくない。死にたくない。死にたくない。死にたくない。死ぬのが怖い。

電子音に気づき、隣を見れば、ラ・ピュセルが魔法の端末をこちらに向けてなにやら操作していた。

「なにしてるの？」

「うん。あ、これでいいのか」

ＲＰＧでレベルアップをした時のような音が鳴った。

「ちょっと魔法の端末チェックしてくれる？」

「別にいいけど……なにしてるの？」

魔法の端末を起動し、画面の表示を確認した。現在の時刻、湿度、気温、マジカルキャンディーの総量――

「……あれ？」

スノーホワイトの記憶が間違っていなければ、昨日の夜に見た時はもっとキャンディーの量が多かったはずだ。キャンディーの量が半分ほどに減っている。

「えっ、なにこれちょっとやだ」

「落ち着いて、今戻すから」

再びRPGのレベルアップ音。画面に表示されたマジカルキャンディーの量がスノーホワイトの記憶にあるものと同じ量になった。

「なにこれ……」

「ファヴがいってただろ。魔法の端末がバージョンアップしたって。機能が増えてるんだよ。これはマジカルキャンディーの譲渡機能。相手の魔法の端末がオフになっていてもキャンディーをやり取りすることができる。転送時間はちょっとかかるみたいだけど」

「ええっと……それで？」

「この機能ってさ、マジカルキャンディー増やすのに協力してやれってことなんじゃないかな。バージョンアップのタイミング的に」

スノーホワイトは、隣に座る騎士の顔をまじまじと見返した。

鉄塔に夜の曇り空という寒々しく味気ない背景を背にしていてもその顔は凛々《りり》しく、美しく、少しだけ楽しそうに見えた。

「そうちゃんは、マジカルキャンディー集める気なの？」

「そうちゃんはやめろってば。だってマジカルキャンディー集めなきゃ首切られるんだろ、文字通り。じゃあやった方がいいだろ」

「怖いとか思ったりしないの？」

「スノーホワイトは怖いのか？」

「そりゃ怖いよ。誰かが死んだり、自分が死んだり、そんなの嫌だよ。お父さんにもお母さんにも会えなくなるし、友達にも会えなくなる。もう魔法少女のアニメを見ることもできなくなるし、美味しいものを食べたり面白いものを見て笑ったりもできなくなるし……」

「怖いよな。僕だって怖い。怖くないわけないよな」

ラ・ピュセルの表情が引き締まった。スノーホワイトは気圧《けお》され、反射的に離れようとしたが、ラ・ピュセルはスノーホワイトの手に自分の手を添《そ》え、スノーホワイトはその手を払うこともできず息をのんだ。

「でもさ、怖いからってなにもしなければ次に脱落するのは僕らになるよ。そんなの嫌だろ？　だったらさ、二人で頑張ろう」

応援し続けてきたテレビの中の魔法少女達と同じ——大切なものを守る、その決意を胸に秘め、はるかに強大な敵へと挑む魔法少女達と何一つ変わることのない——表情だった。他の魔法少女も同じなのだろうか。ラ・ピュセルと同様に、覚悟を決めているのだろうか。スノーホワイトは自分だけ仲間外れにされているような、「怖くて怖くてどうしようもない私の方がおかしいのだろうか?」そんな気持ちになった。

ねむりんならなんといってくれるだろう。にこにこと話を聞いてくれた彼女のことを思い出し、スノーホワイトは袖口《そでぐち》で目元をこすった。

「泣かないで、スノーホワイト」

ラ・ピュセルは鞘《さや》から剣を抜き、柄をスノーホワイトに向けて膝をついた。刃渡り五十センチほどの刃がキラキラと輝いている。

「たとえこの身が滅びようとも、貴女《あなた》の剣となることを誓《ちか》いましょう。我が盟友《めいゆう》、スノーホワイト」

芝居がかった仕草や口調とは裏腹に、スノーホワイトを見る目には労《いた》わりがこもっている。泣かないでといわれたのに、スノーホワイトの目には大粒の涙が浮かんでは落ちた。

スノーホワイトは、すがりつくようにラ・ピュセルを抱きしめ、耳元で呟《つぶや》いた。

「ありがとう……」

ラ・ピュセルの体温を感じ、かっと頬が熱くなった。ふと目をやると、ラ・ピュセルの頬もまた赤みが差しているように見えた。

◇◇◇

なにを気に入ったのかは知らないが、トップスピードがリップルの相棒を自称していることは知っていたし、チャットで他の魔法少女に「うちの相棒が～」などと話しているということも本人から直接――聞いてもいないのに――教えられたため知っている。

イラついた。舌打ちしか出ない。それでも、リップルは否定も拒否も罵倒も殴打《おうだ》もせず、いわせるままにしておいた。無言を肯定《こうてい》と受け取ったのか、トップスピードは毎日のようにリップルを訪れ、二人は一緒に活動している。

リップルがトップスピードを拒《こば》まなかったのには理由があった。理由がなければこのままにしておくわけがなかった。

リップルの「手裏剣を百発百中で投げる」魔法を人助けに使うとすれば、物騒な状況が必要になる。そんな物騒な状況に都合よく巡《めぐ》り合えるわけがない。リップルは自分の魔法ではなく魔法少女の身体能力を活かすしかないが、それは他の魔法少女にだってできる。特段に有利な部分というわけではない。

一方のトップスピードは独自の魔法として空飛ぶ箒「ラピッドスワロー」を使う。こちらは、物を投げるだけのリップルの魔法に比べて格段に役に立つ。単純に人助けにどうこうだけではなく、助けを求める人を探すのも空からの方が見つけやすい。

ねむりんの死を嘆き、怒り、泣き、わめいていたトップスピードを眺め、リップルは冷静に今後どうすべきかを考えていた。リップルとて説明がないまま生命の危機に追いやられたことを怒らないわけではなかったし、自分が死ぬ場面を想像してキリキリと痛む胸を掻きむしりたくなるのも一度や二度ではなかったが、それでも冷静になるよう努《つと》めた。

文字通り死ぬ気でキャンディーを集めなければならない。集められなければ死ぬのだ。利用できるものはなんでも利用すべきだ。トップスピードに利用価値があれば、苛立つ心を抑《おさ》えてでも付き合わなければならない。

リップルは、ラピッドスワローの後部座席を専用席とし、担当地域を駆けずり回ってポイントを稼《かせ》いだ。トップスピードも生に対する執着《しゅうちゃく》は人並みかそれ以上にあるらしく、俺は死ぬわけにはいかないんだと珍しく真剣な面持《おもも》ちでリップルに語り、リップルがそれに答えず黙っていると、せめて半年は生きたいと小さく付け加えた。半年という微妙な期間の理由を問うたが、トップスピードは苦笑いするだけで答えてはくれなかった。どうせ適当なことを口にしただけだろうとリップルは思った。

「んじゃ今日は国道の方流していくってことでオッケー？」

「了解……」

「もうちょいポイント稼げるところがありゃいいんだけどねー」

歓楽街であればもっとポイントが稼げるとリップルは提案したが、市内最大の歓楽街がある城南地区は、よりにもよってカラミティ・メアリの担当区域であるため、トップスピードが強く反対した。命がかかっているのになにを悠長《ゆうちょう》なとリップルは反論したが、生きながらえるために危険な場所に出向くのは矛盾しているとトップスピードは頑《がん》として首を縦には振らず、結局は、担当地区内でどうにかポイントを稼ぐしかないという結論で落ち着いた。中宿も北宿も、人口密度はそれなりにあるが、かつて城下町だった尚武《しょうぶ》の気風はすでになく、どちらかといえばのんびりとしている。悪いことではないし、むしろ好ましかったが、それだけ魔法少女が解決すべき問題は少なくなる。

二人は問題を探し、寝食《しんしょく》を惜しんで東奔西走した。そもそも魔法少女にさえ変身していれば眠くはならないし飢《う》えもない。そんなことよりも、とにかく死にたくなかった。

このように、リップルのトップスピード評は「鬱陶しいが利用できるから付き合ってやっている」という本人には聞かせられないものだったが、二人の魔法少女を箒に乗せて第七産光ビル屋上に降り立った時ばかりは、リップルも評価を上方修正しないわけにはいかなかった。

魔法少女の能力が一人一人違う以上、効率的にキャンディーを集めるためには、信頼できる仲間とチームを組んだほうがいい。だが、群れるを良しとせず、トップスピード以外の魔法少女との接触を避け続けてきたリップルが、そんな仲間を容易に集められるわけもない。

そんな矢先、トップスピードが二人の魔法少女を連れてきたのだ。チャットへの参加率が高く、その分、他の魔法少女との親交もあるはずのトップスピードであれば、寝首を掻かれない程度には信頼できる魔法少女を知っていても不思議はない。

二人の魔法少女はシスターナナ、ヴェス・ウィンタープリズンと名乗った。

シスターナナは一見すると修道女にも見えた。ヴェールやロングスカート等、コスチュームが修道服に似ていたことと、本人の顔立ちがどことなく優しげだったことがその理由としてあげられる。しかし現実の修道女はスリットを入れていたり白いストッキングをガーターベルトで吊るしていたりはしないだろう。本来あるべきではない部分で情欲を煽ることを魔法少女的とでもいうのだろうか、とリップルは考えた。

ヴェス・ウィンタープリズンは一見すると男にも見えた。ブラウンの髪を短めに切り揃え、身長はリップルより頭一つは高い。拘束服にも似たベルトだらけのコートに身を包み、足元まで垂れた長いマフラーを首に巻き、それで口元を覆い隠している。このように服装がいかつく、全体的な色使いが黒もしくは茶で、顔立ちは魔法少女特有の美しさを持っているものの中性的、コートに包まれた身体からも女性的な曲線が見てとれず、どこかの国の王子様というのがぴったりくるかもしれない。

「はじめましてリップルさん。シスターナナと申します。なにとぞよろしく……こちらはヴェス・ウィンタープリズン」

「どうも」

シスターナナはしゃべり方がおっとりとしている。リップルがとろくさいと評価するタイプだ。ウィンタープリズンの方は声が低い。態度はぶっきらぼうに見えた。リップルがなめやがってと評価するタイプだ。どちらもあまり良い印象を受けなかったが、初対面でリップルに好印象を与えた人間は存在しないため気にするべきところではない。

しかしそれ以上に気になる点があった。トップスピードの表情だ。二人を下ろしたトップスピードはどこか困ったような顔をしていた。

シスターナナは挨拶もそこそこに、

「間違っていると思うんです」

いきなり決めつけた。

「間違ってるって、なにが……」

「現状です。人の世を平和にするため力を与えられた我々が、憎み合い、いがみ合い、蹴《け》落《お》とし合い、それでいったいなにが得られるというのでしょう」

手をとられて詰め寄られた。リップルは眉根を寄せたが、シスターナナはかまうことなく話を続けた。

「こういう時だからこそ一致団結しなければならないと思うんです」

「一致団結っつってもな。具体的にどうすんのよ？」

リップルに代わってトップスピードが質問し、シスターナナはリップルの手を握ったままでトップスピードの方へ顔を向け、おっとりと微笑《ほほえ》んだ。

「まずはそこから一緒に考えましょう。皆で力を合わせて考えればきっといい案を思いつくはずです」

トップスピードは微苦笑し、リップルは舌打ち、ウィンタープリズンが咳払《せきばら》いをした。ウィンタープリズンの咳払いはリップルの舌打ちに対するたしなめの意味があったのかもしれない。どちらにせよシスターナナは頓着《とんちゃく》することなく話を続けた。

「解決できるのは私達魔法少女の英知《えいち》だけです。ファヴ経由で運営へ抗議文書を提出しましたが黙殺《もくさつ》されました」

「あ、そういうのも出したんだ」

「出しました。ですが役には立ちませんでした。ファヴはそういうものだからあきらめてくれと……ですがあきらめていい問題ではありません。すでに尊《とうと》い犠牲が出ているのです。ねむりんさん……どれほど無念でどれほど悲しくどれほど苦しかったでしょう……かわいそうに」

シスターナナの瞳から涙が一滴零《こぼ》れ落ち、リップルは舌打ちをした。

綺麗事さえいっていれば皆が味方してくれると思っていそうなところは小学二年生の時の学級委員に似ていた。誰かを哀れんでいれば自分は優しい人だと思っていそうなところは中学二年生の時の担任に似ていた。泣くことを恥《はじ》と思っていないところは……そんな女はたくさんいたが、その中でも母親を思い出した。

そして、キャンディー集めで協力しようという話ではないらしい。

リップルはシスターナナの手を振り払い、よろけたシスターナナはウィンタープリズンに受け止められ、抱きすくめられて肩を震わせた。

「ああ……かわいそうに……」

シスターナナの頭越しにウィンタープリズンがリップルを睨みつけてきた。その視線は、リップルがシスターナナの手を振り払ったことを咎めていた。髪より若干薄い茶色の瞳が怒りに燃えている。リップルは殺気をこめて睨み返した。ウィンタープリズンの目が細められ、リップルは唇を唾液《だえき》で湿《しめ》らせた。ウィンタープリズンがシスターナナをかばうように前に出た。リップルは右手を背中へ回し、刀の柄に手をかけた。

「よし！　いいたいことはよくわかった！」

険悪な空気を振り払おうとしたのだろう。トップスピードが大きな声を出して両掌を打ちつけた。

「じゃあ俺らは要相談っつうことで今日のところはオーケー？」

「これ以上犠牲者を出さないためにも早急な……」

「うん、わかった。理解した。それを踏まえた上で相談して結論を出したい。大事なことだっつうのがわかってるからこそ慎重《しんちょう》に答え出したいんよ。オーケー？」

トップスピードは、納得していない様子のシスターナナを不承不承《ふしょうぶしょう》ながらも頷かせ、二人を箒に乗せて慌《あわただ》しく飛び去った。そしてまた同じように慌しく戻ってきたトップスピードは、掌を合わせてリップルに頭を下げた。

「ごめん」

「死ね」

「いやマジごめんって。話があるからっていわれてさ。じゃあ聞いてあげようってなるじゃん？　リップルがあそこまで不機嫌になるとか思ってなかったし？　なにかいい案があるならそれに従ってーとか思ってたし？　俺だって絶対死んだりしたくねーもんよ。最悪でもあと半年、な」

だからなんで半年だよと舌打ちをした。今日一日だけで何度舌打ちしただろう。

「鬱陶しい……」

「向こうさんも悪気があるわけじゃねーんだろうけどなぁ。リップルとはちょっとばかり相性が悪かったたっつーかなんつうか。でもここでチャンバラすんのは勘弁《かんべん》してよ。俺は死ぬわけにいかねーからさ。あんたとウィンタープリズンがやり合うのに巻き込まれるとかごめんだよ」

トップスピードの「死ぬわけにはいかない」は単なる死への恐怖とは少し違うような気がした。半年か。半年後にいったいなにがあるというのか。

リップルはトップスピードを指差した。

「背中……」

「ん？」

「御意見無用なんて背負《しょ》ってるくせに……」

「あー……」

「イモ引きやがって……」

「やなことというねあんたも……でもさ、ウィンタープリズンは喧嘩の相手としちゃお勧《すす》めできないってのはマジ話よ？　ほら、前話したことあんでしょ。シスターナナがカラミティ・メアリのシマに入って撃ち殺されそうになったって話。あん時にカラミティ・メアリと真正面からぶつかり合ってシスターナナが逃げる手助けしたってのがウィンタープリズンらしいからね。シスターナナがほっぺた赤くして教えてくれたもん」

ウィンタープリズンの胸の中で涙を流すシスターナナを思い出し、リップルは顔をしかめた。相性が悪いといわれたが、相性以前の問題だ。彼女の主張は、役に立たない。

「悪い子じゃないんだけどね」

「宗教かぶれのお花畑は虫唾《むしず》が走る……」

「お花畑っていうのとはまたちょっと違うと思うけどねぇ……それよりかだいぶタチが悪いっつうか。まあどっちにしろさ。地道にキャンディー集めなさいってことっしょ」

「地道に集めるにしても……自衛は必要……」

「逃げりゃいいんよ、逃げりゃあ。俺、市内じゃ速度王よ？　トップスピードの名前は伊達《だて》じゃねーんよ？　後部座席は空《あ》けといてやるからさ、リップル拾って空に飛べば誰もついてこれねーって。だから地道に生きるんさ。空から見張る、なにかあったら降下する。これでキャンディーがっぽでいいじゃない」

これ以上トップスピードと話しても埒《らち》があくとも思えなかったため、リップルは黙ってトップスピードの後ろに跨り、彼女の腰に手を回した。

◇◇◇

N市西門前町には、名前の通り寺が多い。

立派な構えの大きな寺からひっそりと佇む小さな寺まで数多くの寺が軒《のき》を連ねていた。

そんな西門前町にある寺の中でも王結寺《おうけつじ》は最も古い……というよりは、最も古びている。古刹《こさつ》というほどの歴史があるわけでもなく、整備してくれる者がいるわけでもない。荒れるに任せた破れ寺だ。街中とはいえ、魔法少女の隠れ家として悪くない。この寺の中には、現在5人の魔法少女がいる。

魔法少女「ルーラ」はティアラに手を添え位置を正し、長いマントをクッション代わりに腰を下ろした。

「今回、魔法の端末がバージョンアップされたわけだけど」

ルーラは、話しながら首が折れた仏像へ目を向けた。そこには水着姿の魔法少女が正座していた。純白のスクール水着と首から提げた水泳用ゴーグルが純粋に泳者としての特徴を反映しているというのならば、ヘッドホンや巻き髪が魔法少女としての余計な付属物なのだろう。肉感的なボディーラインは、スクール水着という低年齢層向けの水着に包まれることで、かえって背徳《はいとく》的な淫靡《いんび》さを醸《かも》し出していた。

「このバージョンアップにより、魔法の端末間でマジカルキャンディーを移動させることができるようになった」

土間にある直径一メートルほどの穴から顔だけ出した魔法少女には犬のような耳が生えている。自分でこさえた穴の中にいるのが一番落ち着くらしい。フード付きのケープを羽織り、頭部から生えた犬耳をフードの穴から覗かせていた。肉球つきの手袋をはめ、首には首輪をはめている。ファーやタイツなど、各部を「白地に黒の水玉を散らした模様」で飾り、ハーフパンツの尻からは穴を通って犬の尻尾が突き出していた。

「これがなにを意味しているか、おわかり？」

梁の上にはルビーのネックレスをつけたカラスがいた。瞬《まばた》きすると長靴を履いた黒猫になり、さらに瞬きすると、白鳥のような翼を背中に、光の輪を頭に頂《いただ》いた二人の魔法少女が並んで座っていた。ころころと形を変えるが、この天使が本来の姿だ。外見年齢は十歳前後。ワンピースとカチューシャは揃いの紺《こん》、ブラウスやドロワーズの白さと合わせて聖歌隊のような清楚《せいそ》さがある。外見上の違いはショートカットのはねが内か外かというのが一つ目。リボンをつけた足首が右か左かというのが二つ目だ。

「たくさん持ってる子が足りない子にキャンディーをわけてあげましょう?」

首をかしげてそういった犬耳の魔法少女「たま」に対し、ルーラは冷たく「零点《れいてん》」といい捨てた。

「チームを組んでその中でキャンディーやりくりしてどうのこうのじゃね?」「ああ、それ正解っぽい。お姉ちゃんマジクール」

お互いを指差す双子の天使「ミナエル」と「ユナエル」の「ピーキーエンジェルズ」に対しては「三十点」と採点した。

「スイムスイム、あなたはどう思う?」

問われた水着の魔法少女「スイムスイム」は黙って首を横に振った。存在感のある乳房が首と一緒に左右に揺れ、ルーラは心の中で唾を吐いた。ルーラは人間の時も魔法少女になってからもめりはりがある体形とはいえず、それなりのコンプレックスを持っている。

「本当に馬鹿しかいない」

睥睨《へいげい》した。

「どいつもこいつも馬鹿ばかり」

ピーキーエンジェルズが目をそらし、たまは申し訳なさそうに耳を伏せ、スイムスイムは身じろぎもせずルーラを見ていた。

ルーラがいう馬鹿とは彼女らのみのことではない。ねむりんが死に、自分もそうなってはごめんだと、人助けに精を出す魔法少女全員のことを指している。

「これは運営からのメッセージよ。お前らキャンディーの奪い合いをしろ、そういうこと」

「えっ、無理やり奪ったりしていいの？」「いいの？」

「相手の許可がなくても、魔法の端末を奪って、こちらの端末に送りつけるように操作してやればいい。すでに実験済」

「マジすか」「すごいねそれ」

「相槌打つしかできないなら黙ってろ耳障《みみざわ》りだ馬鹿」

双子の天使が再び目をそらした。ふん、と鼻で笑ってルーラは続けた。

「それじゃあなた達は私の指揮下で働いてもらう。ねむりんの後を追いたくないならせいぜい頑張りなさい」

「働くって？」「どんなことさせられんの？」

もう一度「相槌打つしかできないなら黙ってろ」とどやしつけてやりたかったが、ルーラは双子をやりこめることよりも話を先に進めることを優先させた。

「シンプルにいく。キャンディーを一番貯めこんでるらしいスノーホワイトを襲って奪う」


木王早苗《もくおうさなえ》は魔法少女になり、ようやくあるべき姿になることができたと喜んだ。レベルが高いとされている小学校から中学校を経て高校、大学、そのままトップクラスの企業に就職したが、最初から最後まで一貫《いっかん》して、周囲を馬鹿ばかりとみなしてきた。どうして私の価値もわからない馬鹿と付き合わなければならないのかと嘆き、さらにそれを口に出すため親しい者もなく、学校でも職場でも一人ぼっちだった。

気晴らしで始めた「魔法少女育成計画」によって魔法少女になった時は、長年の悩みだった「どうして私の価値がわからない馬鹿しかいないのか？」という疑問に対する明確な回答を得ることができた思いだった。要するに醜いアヒルの子だったのだ。アヒルの中に白鳥がいてもその美しさをありがたがるアヒルはいない。早苗はその日に退職した。

鏡に映る魔法少女としての姿が誇らしかった。

裾《すそ》を引きずるほど長く、宝石が散りばめられた光沢ある朱子織《しゅすおり》のマント、「玉を掴む鷲」の像が先端に飾られた一メートルほどある象牙《ぞうげ》の王笏《おうしゃく》、パーティー用の長手袋、それにティアラ。小さくシンプルなデザインだが、中央に埋め込まれたダイヤモンドの大きさと透明度は尋常の物ではない。高貴さを象徴する薄紫色の髪を髪飾りでまとめ、足元はガラスの靴。瞬きするたび音がしそうなほど睫毛《まつげ》が長い。ファウンデーションは必要がなく、化粧もいらない。人間の時は面倒としか思えなかった雑事の全てから解放されていた。白鳥の中で白鳥として振舞うことができるんだ。しかしそんな早苗の喜びは、レクチャー役の魔法少女である「カラミティ・メアリ」と対面したことで霧散《むさん》した。

葉巻を吹かし、その煙をわざとらしく吹きつけ、合間合間に酒瓶《さかびん》を傾ける。あまりにも不真面目なその態度に早苗が立ち上がろうとした刹那《せつな》、銃声と同時に背後で爆音が轟《とどろ》いた。振り返って見れば後方のビル壁に直径三メートルほどの穴が開いていた。

「カラミティ・メアリに逆らうな。煩《わずら》わせるな。ムカつかせるな。オーケイ?」

早苗は立ち上がろうとした中途半端な体勢のまま動けない。

「オーケイ?」

カラミティ・メアリはいつの間にか拳銃を握っていた。そこから放たれた弾丸が壁を撃ち抜いたとしか思えない。だが拳銃の弾丸にしては威力が大きすぎる。

「これが……あなたの魔法?」

「なんでそっちが質問してんだ? あたしが聞いてんだよお嬢さん。答えようや。馬鹿みたいに頷いてりゃそれでいい。オーケイ?」

たっぷりと時間をかけ、早苗は深く頷いた。

「オーケイ、オーケイ。いい返事だ」

恐るべき早撃ちだった。抜く動作どころか、構え、撃つところさえ視認できなかった。壁が吹き飛んだ時には全てが終わっていた。

ふっと息を吹いて銃口から流れ出ていた硝煙《しょうえん》を吹き消し、クルクルと回転させホルスターに収めた。苦もなくそれだけのことをやってのけ、目の前の女ガンマンは酒瓶を傾け喉を鳴らした。唇の端から琥珀色《こはくいろ》の液体が垂れ落ち、胸元まで流れていった。

早苗は、血の煮えたぎる屈辱に唇を噛み締めた。

暴力に対してなにもできず黙らされた。早苗は自分の魔法を把握し、その強さに満足を覚えていたが、スピードで圧倒的に負けているカラミティ・メアリに魔法を行使しようとすれば、それより早くビル壁と同じように穴を開けられてしまうだろう。自分自身の耐久能力はだいたい把握している。ビル壁ほど脆くはないが、良くて大怪我、悪くて即死。要するに人間にとっての拳銃の弾丸と大差ない。

白鳥になったと思った矢先、頭を押さえつけられ水の中に沈められた。

早苗は屈辱を噛み締め学習した。自分に必要なのは守護者である。カラミティ・メアリに復讐するためには自分が魔法を行使するまで耐えてくれる肉の壁が必要なのだ。

それ以降、新しい魔法少女が加入した時には可能な限り説明役に立候補し、御しやすい相手を選んで勧誘し、派閥《はばつ》を作った。頭の働きが鈍《にぶ》いたま、付和雷同《ふわらいどう》なピーキーエンジェルズ、無口なスイムスイム。

たまは犬だ。強い飼い主に従う愚直《ぐちょく》な生き物だ。罵《ののし》ろうが、蹴りつけようが、ご主人様がご主人様である限りは喜んで尻尾を振り続ける。首輪を与えてやった時は境内を駆け回って喜んでいた。

ピーキーエンジェルズは臆病だ。強い言葉を使ってやれば口答えすることもない。どちらがユナエルでどちらがミナエルか、早苗は未だに把握していなかったが、それで文句をいわれたことはない。

スイムスイムの無口は知識の少なさに起因している。西門前町の案内看板をじっと見ているのを見咎め、なにを見ていたのか質問したところ、これはどういう意味かと逆に質問された。スイムスイムが指差した先はローマ字で「NISHIMONZEN」と書いてあった。いわれたことは忘れずに覚えているため、記憶力が悪いわけではないようだが、ローマ字以外にも簡単な漢字を読むことができないといったことが多々あった。乳のでかい女は頭が悪いという俗説を地でいっている。

全員愚か者だ。自分で判断して動くことができない。早苗に使われた方が魔法少女として意義のある活動ができる。早苗のために死んだとしてもその方が幸せだ。

ピーキーエンジェルズの二人は「そりゃ楽でいいや」「超クールだよね」と軽いノリで

キャンディー強奪作戦への参加を承諾《しょうだく》し、スイムスイムは黙って頷いた。たまのみが、倫理的な理由――魔法少女が他人様の物を奪っていいのか？――から気が進まないようだったが、スイムスイムに「リーダーのいうことはきかないと」と促され、最終的には頷いた。

ルーラはスノーホワイトの行動パターンをある程度把握していたが、それが現在でも正しいかどうかを確認するため、ピーキーエンジェルズとたまが斥候《せっこう》に駆り出され、王結寺にはスイムスイムとルーラのみが残された。

スイムスイムは正座のままでじっとしている。ルーラはその様子をしばし眺め、いつまで経っても動こうとしないスイムスイムに質問した。

「あなたなんで正座しているの？」

「尊敬すべきリーダーには正しい姿勢で応えるべき」

「……それ、私がいったこと？」

「いったこと」

事あるごとに、過去、ルーラが指導した内容を復唱される。いった本人が覚えていないようなこと、自己顕示欲を満たすためだけだったり、相手をやりこめるためだけだったりといった中身のない発言まで含めて全てだ。忠誠心のあらわれだと受け取っているが、全く鬱陶しくないというわけでもない。

《魔法少女は人間に正体を知られてはならないことになっているが、魔法少女同士でもみだりに正体を教えてはならない》
《リーダーは憧れの対象でなければならない。皆がリーダーのようになろうとすることで組織が活性化するのだ》
《なによりも強い敵はなによりも打ち滅ぼさなければならない敵である》
《魔法少女として覚醒《かくせい》し、不思議な力を手に入れても油断してはならない。魔法少女の敵として立ちはだかるような存在があるとすれば、そんな敵もまた不思議な力を持っていないわけがないのだから》
その場の勢いでいい加減なことを口にすることがないわけではなかったが、そういった出まかせもスイムスイムは全て覚えていた。ルーラはスイムスイムに歩み寄り、腰を曲げ、彼女の頭を撫《な》でた。
「尊いものを頭に詰めていけば……馬鹿でも少しはマシになる」
「尊いものってなに？」
ルーラは笑い、しかし冷ややかな声でこう答えた。
「私の言葉」
ルーラの立てた作戦は単純なものである。単純なものでなければ馬鹿な部下がついてこれず、つまらないミスをしでかし、そこから作戦が破綻《はたん》しかねないと考えたためだ。

ラ・ピュセルとスノーホワイトの待ち合わせ場所である倶辺ヶ浜の鉄塔を襲撃する。ラ・ピュセルとスノーホワイトが合流する前に。

なぜ待ち合わせ場所を知っているかというと、スノーホワイトとラ・ピュセルがチャットで待ち合わせ場所について話していたログが残っていたからだ。そのログを発見した時は「馬鹿な魔法少女はうちの馬鹿だけではなかったのだ」とルーラはほくそ笑んだ。

待ち合わせとはいえ同時に到着することはない。タイムラグがある。もしラ・ピュセルが先に到着していれば、そちらをピーキーエンジェルズとたまが攻撃し、足止めをする。その間に、後からやってきたスノーホワイトをスイムスイムとルーラが襲い、マジカルキャンディーを強奪する。先に到着していたのがスノーホワイトなら手順は逆だ。

魔法少女間での戦闘経験がない。

相手がどのような魔法を使うのか情報がない。

このような懸念《けねん》はあったが、それはお互い様だ。スノーホワイトやラ・ピュセルにも魔法少女同士で戦った経験はないだろうし、ルーラ達の魔法を知らないだろう。

たまの瞬時に穴を掘れるという魔法は奇襲に向き、変身能力と飛行能力を持つピーキーエンジェルズは陽動に適し、ルーラの魔法は壁役さえいれば絶対的に強く、その壁役に、物理攻撃を無効化できるスイムスイムの魔法は最適だ。チームとしての完成度はけっして低くない。

——馬鹿が馬鹿みたいなポカさえしなければ……。

マジカルキャンディーの強奪は成功するだろう。

そしてこれは前哨戦でありテストでもある。ここで成功すれば次のステップに進む。カラミティ・メアリを襲撃し、マジカルキャンディーを奪う。

ルーラの中の屈辱は依然として消えていない。カラミティ・メアリを地に這《は》い蹲《つくば》らせない限り屈辱のおき火は永遠にくすぶり続けている。

「来た！」「ラ・ピュセル見えたよ！」

魔法の端末からピーキーエンジェルズの報告が入った。上空から下界を見張っていた彼女達の視界内にラ・ピュセルが入ってきたらしい。

「鉄塔に向かって走ってる！」「けっこう早いよ！　鎧着こんでんのに！」

「それでは作戦通りに」

鉄塔下の茂みから飛び出し、スイムスイムとルーラは鉄塔を駆け上がった。

◇◇◇

ラ・ピュセルは上空から舞い降りた二人の天使を認めて足を止めた。

ユナエルとミナエル、二人合わせてピーキーエンジェルズ。チャットで見かけたことはあったが、実物を見たのは初めてだった。彼女達がなぜやってきたのかを考え、その疑問は二人のにやにや笑いで半ば知れ、さらにその次の行動——前後から挟みこむようにして蹴りつけてきた——で意図を把握した。砂利道《じゃりみち》から飛び出し、草むらの上を転がり、鞘から剣を抜き、膝をついたままで、天使二人に切《き》っ先《さき》を向けた。刃渡り七十センチはあろう剣を片手で扱いぴたりと止めた。

「なんのつもりだ！」

「なんのつもりだって」「そんなの見ればわかるよね」「キャンディーちょうだい？」

頭に血が上った。マジカルキャンディーの強奪へと走った意思の弱い魔法少女に対する怒りだったが、その中にはほんのわずか、自分の能力を存分に振るえる機会が訪れたことによる喜びも混じっていた。ラ・ピュセルは、魔法少女の強さを手にしてから、ずっと夢想してきた。強敵と戦い勝利する自分を。

双子の天使は、身長ほどもある翼を羽ばたかせ、上空で旋回《せんかい》している。タイミングを見《み》計《はか》らっているようだ。立ち上がろうとすれば即座に襲いかかってくるだろう。ラ・ピュセルはゆっくりと左手を動かそうとし、しかしその動作を中断した。微細《びさい》な振動を感じる。

——下か！

上空を旋回していた天使二人が急降下で攻め寄せてきたのと、ラ・ピュセルの足元に直径一メートルほどの穴が口を開けたのは同時だった。跳びのかなければ穴に飲みこまれる。飛べば身体の自由がきかない空中で天使二人に攻撃される。どちらを選んでも先は地獄だ。しかしラ・ピュセルはそのどちらも選択しなかった。ジャンプすることはなく、穴に落ちることもなく、咄嗟《とっさ》に剣を足元へ敷き、踏みしめた。剣の幅、長さ、厚み、全てが五倍の大きさになってラ・ピュセルを支えた。穴に落ちることはない。

これがラ・ピュセルの魔法「自在に大きさを変えられる剣」だ。大きさはその時々で最適なものを選択することができる。穴の中からがりがりと引っかく音が聞こえるが、なにをしようとこの魔法の剣に傷をつけることは不可能だ。

天使達は動揺を面に出した。

急降下を中止しようとしたが、そう簡単に止まれるというものでもないらしく、中空でバランスを崩した。ラ・ピュセルはその隙を見逃さず、剣を足場に跳び上がり、天使の一人に向けて抜き打ちで鞘を振るった。

天使は鞘による殴打をぎりぎりで避けられなかった。充分に距離を置いていたはずの回避運動は、鞘が倍のサイズに巨大化したことで失敗した。大きさが可変なのは剣だけではない。剣を覆う鞘もまた自在に大きさを変化させることができる。巨大な鞘に横っ面《つら》を引っぱたかれ、天使は地面へと叩き落された。

ラ・ピュセルは着地し、穴に向かって駆け出した。同時に剣のサイズを刃渡り五十センチにまで縮めている。剣という蓋がなくなり、何者かが穴の中から顔を出した。

「ちょっとー、なにやって」

　地上の異常に気づいて頭を出したたまを、ラ・ピュセルは容赦なく攻撃した。側頭部をしたたかに蹴り飛ばされ、たまはくぐもった悲鳴とともに穴の中へ逆戻りしていった。

　これで二人が戦線を離脱した。ラ・ピュセルは剣を拾い、残る一人に向き直った。

「なんのつもりだ」

　襲われた時と同じことをもう一度問うた。が、そこに天使は見当たらず、一羽のカラスが首をかしげていた。ラ・ピュセルは叩き落した天使に視線を移したが、そちらにも天使はいなかった。ゴム鞠《まり》が転がっていた。なにが起きているのか理解する間もなく、カラスが飛び立ち、地面に転がるゴム鞠を拾い上げ、鉄塔に向かって飛んでいく。その姿が伸び、縮み、折れ、曲がり、変色し、カラスとゴム鞠だったはずが、二人の天使になっていた。

　――変身？　これがあいつらの魔法か？

「足止めならこれくらいでいいよね！　お姉ちゃん！」「いいよ！　問題ナッシング！」

　――足止め？

　ラ・ピュセルは鉄塔を見上げた。そこには人影が一人、二人、三人。あきらかにスノーホワイトだけではない。頭に上っていた血の気が引いた。

「くそっ！」

高潔な騎士にあるまじき罵り文句を一声叫び、ラ・ピュセルは天使二人の後を追い、鉄塔に向けて駆け出した。

◇◇◇

ルーラとスイムスイムは順調に作戦をこなしていた。

鉄塔の上まで登り、そこにいた魔法少女と相対した。まとめサイトで頻繁《ひんぱん》に噂される、学生服を基調とした白いコスチューム。間違いなくスノーホワイトだ。

白い魔法少女は驚愕《きょうがく》に顔を歪ませ、ルーラを、次いでスイムスイムを見、声を震わせた。

「な……なに？」

その声と表情は、戦闘員より一般人、加害者よりも被害者に近い。あきらかに戦おうという意思がなかった。間抜けめ、この期《ご》に及んで相手の目的もわからないのか。それとも理解した上で戦う気がないのか、どちらにしても間抜けめ。と心の中で毒づき、ルーラは手にした杖――「王笏《おうしゃく》」をスノーホワイトに向け、魔法の行使を宣言した。

「ルーラの名の下に命ずる。スノーホワイトよ、身動きをとるな」

姿勢は逃げ腰、表情は驚愕に引きつったままでスノーホワイトは固まった。スイムスイムが魔法の端末を取り出し、それをスノーホワイトに向け、マジカルキャンディーの移動を始めた。

　これがルーラの持つ魔法である。相手に命令を下すことができる。

　王笏を向け、ポーズをとらねばならない。命令をしている間はそのポーズをとり続けなければならない。ルーラの名の下に命じなければならない。相手との距離は最長で五メートル。制限の数は全部で四つもあった。しかし、それだけに強い。一度命令してしまえばその時点で相手は詰みだ。

　ピーキーエンジェルズ、たま、スイムスイムには、制限があるなどとは教えず、単に命令できる魔法だと説明してある。手下相手に弱点を教えるほど甘くはない。連中にとっては絶対的に強いリーダーであった方が都合がいいのだ。

　スノーホワイトに対する命令「身動きをとるな」は「キャンディーをよこせ」などよりもまだるっこしいが、キャンディーをこちらに寄越してから即攻撃でもされては面倒なので、安全を最優先させ、こういう命令にした。ルーラは賢く、賢い者は慎重なのだ。

「スイムスイム、まだ終わらない？」

「もうちょっと」

「ったく。このポーズ疲れるんだけど」

「もうちょっとで終わ……」

スイムスイムの言葉が途切れた。その視線の先、見下ろしている場所を見ると、二人の天使が鉄塔に向けて猛スピードで飛んできている。天使達の後ろには砂利を蹴散らし砂埃を巻き上げて疾駆《しっく》する騎士の姿があった。

「あの馬鹿どもも阿呆《あほう》どもゴミ屑《くず》ども……足止め程度も満足にできないのか！」

「もうちょっとで終わる」

「黙ってろボケッ！」

◇◇◇

スノーホワイトが襲われている。泣いているスノーホワイト、怯《おび》えているスノーホワイト、最後に人間の姫河小雪が頭に浮かび、ラ・ピュセルは胸を引き裂かれるような思いに襲われたが、そのおかげで頭に上った血は全身に拡散した。

ラ・ピュセル……岸辺颯太にとっての魔法少女とは、戦うヒロインだった。ご近所の問題を解決する昔ながらの魔法少女も嫌いではなかったが、強大な敵を前にしてもけしてくじけない、大切なものを守るためには絶対にあきらめない、そんな「戦士」だった。

鉄塔の上ではスノーホワイトが助けを求めている。しかしこのまま鉄塔を駆け上がっても天使二人に攻撃されるのではないだろうか。ピーキーエンジェルズが完全に戦意を喪失していることもかく、ちらちらとこちらを振り返る顔は、ただ怯えて逃げている者のそれではない。足場の悪い鉄塔で襲われれば、空飛ぶ敵と二対一での戦闘を強制される。

仮にそこで勝利したとしても、相手の目的である「時間稼ぎ」を果たされることは必《ひっ》定《じょう》だ。数で負け、地の利は相手にある。一蹴できるとは思えない。強大な力を初めて振るった高揚感はあったが、その力がどの程度のものであるかもきちんと把握できていた。やっぱり生まれながらの戦士だな、と悦《えつ》に浸《ひた》り、すぐに気を引き締めた。スノーホワイトを救うための選択肢は多くない。

鉄塔に到達するまでの数秒間、ラ・ピュセルは観察と考察を続け、結論を一つ出し、それを実行した。鉄塔まで全力疾走し、その勢い、自重、力、全てを乗せ、鉄塔の脚にショルダーアタックを決めたのだ。

◇◇◇

鉄塔の下から見ても激しく揺れているように見えたが、上にいる者にとってはそのように生易《なまやさ》しいものではない。電線がまとめて千切《ちぎ》れ飛んだ。あと少し手を伸ばせば地面まで届くのではないかと思われる猛烈な揺れ方であり、王笏を構えポーズをとっていたルーラと身動きを禁じられていたスノーホワイトが耐えられるはずもなく、鉄塔の上から放り投げられた。放り投げられたルーラの手を、同じく放り投げられたスイムスイムが空中で掴み、上に向かって投げ飛ばした。投げ飛ばされたルーラは双子の天使が受け止め、

スノーホワイトは、素早く落下地点へ回りこんだラ・ピュセルが受け止めた。二人はもつれ合い転がって十メートル先の茂みでようやく止まった。

ルーラは視線に怒りをこめてスノーホワイトとラ・ピュセルを睨みつけた。両脇をピーキーエンジェルズに抱えられ、吊り下げられる形でなんとか落下からは免れたが、みっともいい状態とはいえず、それが怒りに拍車をかけた。

スイムスイムは誰から助けられることもなく直接地面に叩きつけられたはずだ。しかしスイムスイムの魔法があればそれでダメージを受けることはないだろう。合流すれば四人。四対二での戦いになる。そこまで考えてからルーラは思い出した。

「たまはどうした？」

「ラ・ピュセルに蹴っ飛ばされてそれっきりだよ」「生きてんだか死んでんだか」

あれだけ巨大な鉄塔が折れるか倒れるかという勢いで左右に揺れていた。たまを一撃で戦闘不能に追いこむのも不思議ではない。

たまとピーキーエンジェルズが三対一で戦っていたにもかかわらずラ・ピュセルから追い立てられていたという事実を加味すると――

「よし、撤収《てっしゅう》する」

「え？」「マジすか？」

「戦略的撤退！　うだうだいってないで回れ右！」

起き上がろうとしているスノーホワイトとラ・ピュセルを捨て置き、天使二人とルーラは回れ右で逃げ出した。

弱気にも思える戦略的撤退は、結果的に正解だった。たまは自力で王結寺に戻ってきた。記憶が多少あやふやらしかったが、どうせ普通にしていても頭の働きがあやふやな連中であるため問題ないだろうと判断した。

スイムスイムはただ戻ってきただけでなく、きちんと仕事を果たして戻ってきた。すなわちスノーホワイトのマジカルキャンディー奪取に成功し、堂々の帰還《きかん》を果たしたのだ。

八百二十六だったスイムスイムのマジカルキャンディー所持数は、作戦終了後、二千九百十四に増えていた。差し引き二千八十八。これは、五人の中で一番多かったルーラのキャンディー所持数の、倍以上という数値だった。

「あいつ一人で二千も稼いでたのね」「どうやったらそこまで集められるんだか」「ブルジョワやね」「ならこれは現代の打ち壊しやね」「お姉ちゃんマジクール」

「ええっと、じゃあこのキャンディーどうするの？」

「二千とんで八十八が今回ゲットしたマジカルキャンディーの数でー」「それを五で割る

と四百十七余り三。割り切れないね」

「ユナミナエルちゃん計算早いにゃー」

「いいや、割り切れる」

計算は正解だ。しかし計算式そのものが違っているためルーラは訂正を加えた。

「二千九百十四から八百二十六を引くと二千とんで八十八。ここまではいい」

「そこから先は違うの？」「違うの？」

「どうして五等分しなきゃいけない？　二千八十八を二で割って千四十四がリーダーである私の取り分。あとの千四十四を二で割った五百二十二がスイムスイムの取り分。五百二十二を三で割った百七十四がユナエル、ミナエル、たまの取り分。ほら割り切れた」

破れ寺の中がしんと静まり返った。本来廃《すた》れた寺はこうあるべきという不気味な静寂は、その静寂をもたらしたルーラによって即破られた。

「文句ある？」

睥睨《へいげい》した。

「与えられた仕事を満足にこなせなかった無能な馬鹿が、自分の役割をきちんと果たした役に立つ馬鹿と、作戦の立案、さらに作戦実行時には最も重要な役割を担ったリーダーと。なんで報酬が等しいと思うの？　馬鹿なの？　ああ馬鹿だった。それは知ってた。あなた達が馬鹿で無能で三対一で足止めすることもできなかったから作戦そのものが失敗しそう

になったんだった。私が優しいから忘れてたわ」

ルーラは一人ずつ指を指し、ねめつけた。

双子の天使は目をそらし、たまは耳を伏せ、スイムスイムは正座で聞いている。ルーラはふんと鼻を鳴らし、王笏の石突きを寺の床に打ちつけた。

「己の分《ぶん》を知れ、馬鹿ども。罰が与えられないだけありがたいと思いなさい」

『チャット　その2』

ファヴ：それでは今週のチャットの時間〜
ファヴ：でもなんか今日は人数少なくないぽん？
ファヴ：あとでログ閲覧すればいいとか思ってないぽん？
ファヴ：今いるみんなもあんまりしゃべってないみたいだし
ファヴ：もうちょっと明るく楽しくいこうぽん
ファヴ：明るく楽しいのが魔法少女だしぽん☆
ファヴ：閑話休題《かんわきゅうだい》
ファヴ：じゃあ次は明るい話題いくぽん
ファヴ：新しい子が今週から参加してくれることになりました〜パチパチ〜
ファヴ：ええっと……チャットにはいないみたいだけど
ファヴ：きっとシャイなんだと思うぽん
ファヴ：でも、できれば来週からはチャットにも参加してね？
ファヴ：ファヴとのお約束ぽん☆
ファヴ：それじゃ次はみんなが一番気になってるあれを……

ファヴ：今週、一番キャンディーが少ないのは誰なのかを発表するぽん
ファヴ：今週一番少なかったのは……
ファヴ：ルーラ
ファヴ：うーん、残念ぽん
ファヴ：いろいろ頑張ってたみたいだけどホント惜しかったぽん
ファヴ：いやそんなこといわれてもファヴだって困るぽん
ファヴ：あ、今週も一番多かったのはスノーホワイトだったぽん
ファヴ：二週連続トップおめでとう～
ファヴ：みんなもトップ目指してたーくさんキャンディーを集めてほしいぽん
ファヴ：それじゃまた来週のチャットでお会いしましょうぽん
ファヴ：ばいばーい

参加率が激減し、たま、スイムスイム、ピーキーエンジェルズ、ルーラ、それ以外にはクラムベリーとファヴしか参加していなかった魔法少女チャットは閉幕した。皆、警戒しているのだろう。自分以外の魔法少女を敵として認識しているのだろう。

「いやーしっかしうまくいったもんだ」「マジクールだったよね」

西門前町の廃寺、王結寺の境内は、薄ぼんやりとした明かりに照らされていた。

ピーキーエンジェルズは喜びを隠そうともしていなかった。ハイタッチ、握手、ハグ。スイムスイムとたまに対しても同様に行い、たまは沈痛な面持ちで、スイムスイムは表情を見せることなく、それに応じた。

「嫌なやつがいなくなった！」「偉そうにしてるやつがね」「キャンディーをわけてくれないやつが」「馬鹿だの阿呆だのって悪口ばっかりいってるやつ」「ホンット嫌なやつ」

ピーキーエンジェルズの二人にとって、ルーラは嫌なやつだった。偉ぶっていて欲張りで口を開けば侮辱《ぶじょく》と罵倒《ばとう》がとんでくる。ルーラは知っていただろうか。彼女のいない所ではミナエルもユナエルもルーラの陰口《かげぐち》ばかりだったことを。

たまにとってのルーラは怖い人だった。理由は双子の天使と変わらない。

スイムスイムは知っていた。この三人にとって、程度の差こそあれ、ルーラは邪魔者だった。排除《はいじょ》を申し出れば頷くくらいには。

「ところでさ、これ、どうする？」「山奥に埋めたりとかすんの？」「たまちゃんの魔法なら簡単だと思うけど」「ぱーっと穴掘ってさ」

ミナエル、ユナエル、スイムスイムが等間隔でしゃがみ、その中央には人間が倒れていた。二十代半ば、どこにでもいそうな若い女性に見える。パジャマの上にカーディガンを羽織り、足にはサンダルを引っかけていた。

「でもそこまで面倒することなくない？」「あーそうね」「夜のうちにその辺に置いておこ

う。朝になったら誰か見つけるっしょ」「それでいこう」

ルーラは死ぬ直前まで「なぜ」「どうして」と連呼していた。今や人間の姿に戻った彼女は、両手で何かに掴みかかろうという姿勢のまま倒れ伏している。

スイムスイムは立ち上がった。膝を抱え、耳を伏せ、震えているたまに歩み寄って、彼女と目の高さが合うようしゃがみこみ、たまの頭をよしよしと撫でた。たまは目に涙を浮かべていた。スイムスイムは頬の筋肉を緩め、口角をわずかに持ち上げて「大丈夫」と一言伝え、たまの頭をもう一度撫でた。

「死体は私が片つけておく」

スイムスイムはそう告げると、ルーラの身体を抱き起こし、背負った。

「べつにスイムちゃんがやらなくてもいいのに」「そうそう、新リーダーだもん」

「今日はこれで解散。各人自由行動」

背後ではピーキーエンジェルズがまだいい募っていたようだが、スイムスイムは無視して寺の門を押し開けた。毎度のことながらひどく軋《きし》んだ。ルーラが生前「門に油をさせばいい」といっていたことを思い出した。

スイムスイムは西門前町の裏通りに出た。月明かりもない。西門前町には、他の地区に比べて街灯が少ないという住民からの不満の声がある。しかしその声はいつまでたっても市政に反映されることがなく、裏通りは今日も暗い。

追いかけてくる気配は感じない。各人自由行動というのは面倒くさくなった時のルーラを真似た発言だったが、天使二人とたまは従ってくれたらしい。

スイムスイムにとってのルーラとは憧れだった。

君は今日から魔法少女ですと決めつけられ、困惑していたスイムスイムに魔法少女としての生き方を説いてくれた。その姿は、夢の中で思い描いていたお姫様そのものだった。

スイムスイムはルーラの教えを忠実に実行した。

《リーダーは憧れの対象でなければならない。皆がリーダーのようになろうとすることで組織が活性化するのだ》

スイムスイムはルーラに憧れた。ルーラこそがお姫様で、お姫様こそが正義だった。ルーラは強く、賢く、可愛らしく、リーダーシップに溢れていた。スイムスイムはルーラを目指そうとしたが、ルーラのようになるためには誰よりもルーラが邪魔だった。ルーラが二人いてはルーラはルーラ足りえない。ルーラは頂点に立つからこそのルーラだからだ。

スイムスイムは、ルーラに憧れ、ルーラを尊敬し、それを形にするためにはルーラを殺さなければならなくなってしまった。このことに気づいた夜には、食べた物を全て吐き戻し、高熱を出して翌日も翌々日も学校を休んだ。それでもしなければならなかった。スイムスイムはどうしようもなくルーラに憧れているからだ。

しかしルーラの魔法は強力だ。排除するには骨が折れる。ピーキーエンジェルズとたまがルーラに対して不満を抱いているのは知っていたが、それを利用するとしてもルーラの「命令」をどうにかしなければならないと考え、機会を待った。

機会はほどなくやってきた。スノーホワイトからのマジカルキャンディー強奪作戦だ。

全部で約五万あったスノーホワイトのマジカルキャンディーのうち、三万七千を奪い取り、鉄塔の下でぼんやりしていたたまを捕まえて三万五千のキャンディーを押しつけ、ルーラには二千しかなかったと報告した。たまに預けた三万五千は、ルーラ、スノーホワイト、ラ・ピュセル以外の魔法少女に対し、均等に分配した。いぶかしむ者、警戒する者、敵意を見せる者、問答無用で発砲した者。マジカルキャンディーをプレゼントすると連絡しても好意的な反応は一切《いっさい》なかったが、かといって拒否する者もまた一人もいなかった。

その際、ファヴを他の魔法少女との連絡役として使った。ファヴは全ての魔法少女と面識がある。居場所を隠そうという魔法少女であってもファヴとの交渉は絶対にある。ファヴは説明不足や言葉足らずがあっても、協力を要請すればできる範囲で応じてくれる。これもまたスイムスイムがルーラから教わったことだ。

三万五千のキャンディーを十一人で分配し、一人当たりおよそ三千百八十。スノーホワイトには一万以上残してあるため、ラ・ピュセルと分けても五千は超える。これにより、千四十四のキャンディーを得て落ちることはないと余裕だったルーラが最も低いキャンディー所持者となった。

ピーキーエンジェルズは嬉々として、たまは罪悪感を見せながら、この作戦に協力してくれた。スイムスイムをリーダーとして認めてくれた。

スイムスイムは、裏切られたという確信を与える前に、魔法を使う機会を与えることなく、ルーラを排除することに成功した。

スイムスイムは表通りの端にルーラの身体を横たえた。その身体は魔法少女の膂力《りょりょく》を差し引いても軽く、すでに冷たくなっていた。

「さようなら。今までどうもありがとう」

スイムスイムは深々と一礼し、ルーラの死体に背を見せ、裏通りの暗闇に消えていった。

ルーラはもういないが、ルーラから教えてもらったことはたくさん残っている。これからどうなったとしても教えられたことは守っていこう。指先で涙を拭《ぬぐ》い、スイムスイムは闇の中を駆けていった。

第二章　魔法騎士

等間隔《とうかんかく》で大通りに植えられたイチョウの樹が、数日かけて緑から黄色への衣替えを終えた。つい先日までは夕方でも日が高かったことを思い出し、そのせいで赤錆色《あかさびいろ》の空がかえって物寂しく見え、本格的な冬より寒々しく感じなくもない。

亜柊《あしゅう》雫《しずく》はカーテンを閉め、部屋の中に向かって話しかけた。

「マンションの六階から地上を眺めると人間が小さく見え、小さく見えると人が人でないかのように錯覚してしまう」

「雫でもそんなことを思うんですか？」

「魔法少女としてはよろしくないかな」

「でも雫らしいですよ。そうやって難しく考えるところが」

羽二重《はぶたえ》奈々《なな》はクスリと笑い、つられて雫の顔もほころんだ。

彼女が笑うのを久方ぶりに見た。羽二重奈々である時も、魔法少女「シスターナナ」になった時も、最近の彼女は憂《うれ》い顔か泣き顔ばかりで笑うことがなかった。

マンションの部屋は奈々の名義だが、雫はほぼ同居人として、この部屋に出入りしている。自分の部屋に帰るのは週に一度あるかないかだ。

中学、高校と雫はもてた。幼い頃から、天使、妖精と誉めそやされた端整な顔立ちで、魔法少女「ウィンタープリズン」に変身しても外見の印象はさほど変わらない。間違いなく女性であったが、中性的かつ神秘的な雰囲気を身にまとい、異性三割、同性七割くらいの割合で人気があった。交際経験も多く、男性とも女性とも付き合ったことがあるが、いずれも長続きしなかった。だが、奈々との関係は例外的に長く続いていた。

雫と奈々は、大学のゼミで知り合った。休日を一緒に過ごすほど仲良くなった頃、雫は奈々から、彼女が最近遊んでいるという「魔法少女育成計画」に誘われた。魔法少女になってから奈々もまた魔法少女であったことを明かされて運命を感じた。しかし、それが関係が続いている理由ではないはずだ。運命の赤い糸を感じてときめくほど乙女ではない。雫は魔法少女になる前から奈々に惹《ひ》かれていた。

「じゃあやっぱり笑顔が可愛いからかな」

「なにか？」

「いや、独《ひと》り言《ごと》」

ソファーに腰かけ、足を組み、肘掛《ひじかけ》に体重を乗せた。行儀《ぎょうぎ》が悪い、とても楽そうには見えない、修行者の苦行みたいな格好です、等々、奈々からは散々な言われようだが、雫にはこの姿勢こそがリラックスできる。誰かに襲われることを警戒していてはけっしてできない、安心できる場所だからこそとれる姿勢だ。

本棚には恋愛ものの小説、漫画、恋愛をモチーフとした詩集がずらりと並び、壁紙は薄い桃色で、目を凝《こ》らすとハートマークがプリントされている。コルクボードにはシスターナナとウィンタープリズン、羽二重奈々と亜柊雫が並んで笑っている写真が何枚も貼りつけられていた。その内の一枚に目を留め、雫は立ち上がった。写真の端が折れ曲がっていた。折れ曲がった部分を逆方向に曲げ、まっすぐになったのを確認し、ウィンタープリズンはもう一度ソファーに座りなおした。

「そういう几帳面《きちょうめん》なところも雫らしいです」

「神経質ともいうね」

「自覚してるんですか」

奈々はまた笑った。

「火を使ってる時に笑わせないでくださいよ」

「今日はカレー？」

「惜しい、ちょっと違いますね」

「じゃあシチュー？」

「正解、独活《うど》のクリームシチューです。灰汁《あく》抜きにちょっと時間がかかりますから、もう少しだけ待っててくださいね」

軽《かろ》やかにおたまで鍋をかき混ぜる奈々とは対照的に、雫の表情がかすかに曇った。

──独活？　クリームシチュー？　そもそも時期が外れてたような……。

奈々は平均より体重が多いことを気に病んでいる。そのため、ダイエットの名目で食べたいものを食べない。「苦しんでまでダイエットなんかしなくてもいいだろう。奈々はコロコロとしている方が健康的だし、なにより可愛いよ」と心からのアドバイスをした雫は、それから三日間口をきいてもらえなかった。「魔法少女になれば痩《や》せてるんだからそれでいいじゃないか」とも思ったが、そちらは口に出さず心の中に留《とど》めておいた。奈々の乙女心は同性である雫にとっても理解し難《がた》いものであるが、理解したふりだけでもしておかないと奈々は口をきいてくれない。

最近は食を抑えるだけでなく、なるだけ野菜をとろうと努力しているようだ。地物の山菜をどこからか手に入れては聞いたこともない料理を作ってくれる。聞いたこともない料理は聞いたことのない味で、食べる度に雫は首をひねる。

──しかし、それでも。

笑ってくれるだけ良かったか、とも思う。

彼女はもっと明るかった。魔法少女として他者を救うことができる喜びに輝いていた。

市内で活動する魔法少女の数が十六人を数え、魔法少女同士で争うことが強制されるようになってから、彼女の輝きは曇ってしまった。

雫は……ウィンタープリズンは為すべき事を心得ている。ねむりん、ルーラ。これで二名。脱落するのはあと六名。ここにシスターナナを加えるようなことがあってはならない。彼女が死ぬと考えただけで内臓が引き裂かれそうだ。

ルーラの脱落には不審がつきまとっている。スイムスイムが無償で大量のポイントを提供するためにわざわざやってきたこととつながりがないとは思えない。単純にキャンディーを集めればいいというルールから逸脱《いつだつ》しようとしている連中がいる。

雫はテーブルの上にあったガラスの熱帯魚の置き物を手にとり、キッチンで立ち働く奈々を透かしてみた。ガラスの屈折は彼女をスマートに見せた。笑いがこみ上げ、それをごまかすために奈々へ話しかけた。

「じゃあシチューを食べてから出かけよう。今日の予定は？」

「今夜は高波山《たかなみやま》の方まで足を伸ばす予定です」

「遠出はあまり感心できないな。今は物騒だよ」

「雫がいれば大丈夫ですよ。今日は絶対に行かなければいけません」

「なぜ？」

「森の音楽家クラムベリーからぜひとも会いたいと連絡をいただきました。私達の活動が耳に入ったのかもしれません。今度こそは協力していただけるかも……」

奈々は力なく微笑んだ。力がこもらないのは、トップスピードの反応が芳しくなく、リップルに至っては敵対的一歩手前だったからだろう。雫は奈々を抱き締めてあげたくなった。

待ち合わせは午後二時、高波山の採石場《さいせきじょう》。

森の音楽家クラムベリー。チャットで目にしたことはあるが実際会ったことはない。「チャットで話したことはある」ではなく「チャットで目にしたことはある」なのは、彼女がチャットへの参加率が高いわりに発言することがほとんどなかったからだ。会議室の隅でBGMを奏《かな》でているだけの存在でしかなかった。

よくわからない魔法少女ではある。チャットに参加するということは――ウィンタープリズンのように付き合いで参加している者を除けば――会話をしたいということではないのか。なのに、毎回参加しているにも関わらず黙ったまま自発的に発言することがない。シスターナナは「仲間が増える」と浮かれているが、ウィンタープリズンは気を引き締めた。主義主張や目的の見えない相手は、わかりやすく危険な相手より厄介な場合がある。

クラムベリーは時間ぴったりに現れた。

「こんばんは、シスターナナ。こんばんは、ヴェス・ウィンタープリズン」

「こんばんは、森の音楽家クラムベリー」

「クラムベリーでかまいませんよ、シスターナナ」

「わかりました、クラムベリー。チャットでは何度もお目にかかっていましたが、実際お目にかかるのは初めてですね」

「お二人とも私が想像していた通りの方で驚いているところです」

「どうも」と頭を下げたきりのウィンタープリズンをよそに、クラムベリーとシスターナナはにこやかかつ穏やかに話していた。チャットではだんまりを決めこんでいたクラムベリーだが、実際会って話してみると、腰が低く、社会性を身につけた大人の女性という印象を受けた。

長く尖った耳が無造作に伸ばされた金色の髪の間からはみ出し、肩、足、脇腹、太股《ふともも》、そこかしこに蔓が絡み、大小様々な花々が咲き誇っている。フリルのついたブラウス、薔薇の印章が描かれた若草色のジャケットを飴色《あめいろ》の襟留めでまとめ、と上半身は比較的大人しいが、下半身では太股を激しく露出し、外見年齢二十歳程度という魔法少女にしては年《とし》嵩《かさ》の見た目と合わさって、より過激に見えた。

クラムベリーは、シスターナナの熱弁に一通り聞き入った後、おもむろに口を開いた。

「ではこちらからも質問をしたいのですが、よろしいですか？」

「ええ。どうぞ、私達で答えられる範囲であれば」

「こういうこと、やめませんか？」

「は？」

「こうやってゲームに水を差すようなこと」

シスターナナが助けを求める表情でウィンタープリズンを見た。困惑しているようだ。

ウィンタープリズンはコートのポケットに突っこんでいた右手を外に出した。クラムベリーは笑みを浮かべている。

「ええと……どういう意味でしょうか？」

「そのままの意味ですよ」

ウィンタープリズンは一歩前へ出た。困り顔のシスターナナを庇い、身体で隠す。

「ウィンタープリズン。貴女の噂を聞いて以来、戦いたいと思っていました」

「なに？」

「肉弾戦に関しては右に出る者がいないのだとか」

周囲に目を配った。右手には崖、左手には岩山、足元には石が転がっている。見晴らしは悪くない。罠《わな》や伏兵はない。採石場とはいうものの、正確には採石場跡地だ。所有権を有していた地元の土建屋はすでに解体されている。機材と資材の中でも価値がある物は全て差し押さえられ、それ以外の役立たずと見なされた物は、巨石から小石まで大小様々取り揃えてある石とともに放置されていた。

クラムベリーはここに来た時と同じ慇懃《いんぎん》な態度を崩していない。雰囲気もまるで変わっていない。そのままゆっくりと近づいてくる。

間合いに入った。そう思った瞬間、クラムベリーが予備動作無しでハイキックを繰り出し、ウィンタープリズンは左腕を立てて受け止めた。重い。骨の軋む音。キックの風圧でウィンタープリズンのマフラーが翻り、シスターナナは小さな悲鳴をあげて尻餅《しりもち》をついた。

「やはり採石場には長いマフラーがよく似合う」

クラムベリーの指が、ウィンタープリズンの顔面に向かって突き出され、それと同時にウィンタープリズンは魔法を使った。ウィンタープリズンの魔法は「壁を生み出す」。壁の材質は魔法を使う場所によって異なる。この採石場なら石の壁がせり上がってくる。高さ二メートル、幅一メートル、厚み三十センチの岩壁が地面を割ってせり上がり、ウィンタープリズンとクラムベリーの間に立ちはだかった。だが、クラムベリーの攻撃は易々と壁を貫き、突き崩し、ウィンタープリズンは地面に転がって攻撃をかわした。

身体能力は魔法少女の平均に比べてもずいぶんと高い。だが、それにあかして攻撃してくるだけではない。クラムベリーは訓練された体術を使っている。その動きは、豊富な実戦経験に裏打ちされた自信に満ちている。躊躇なく眼球を、眼球の先にある脳を狙ってきた。生命の奪い合いを前提にした攻撃だ。

「ウィンタープリズン！」

「下がってて、シスターナナ」

間合いを広くとることと、敵をシスターナナから遠ざけること。その二つを目的とし、ウィンタープリズンは一歩退いた。採石場という環境は、そこかしこに障害が転がっているため、なんということのない移動でも気を遣《つか》うものだが、近寄ってくるクラムベリーは足元に全く気を払っているようには見えず、ごく自然体で笑顔まで浮かべている。

壁を立て、蹴倒され、壁を立て、打ち砕かれ、壁を立て、乗り越えられた。壁が障害としての役目を果たせていない。動きを阻害することができない。

脆いわけではない。ウィンタープリズンの生み出す壁には、魔法の力が込められている。材質が石であっても強度では鉄にも勝るだろう。それだけ頑丈なはずの壁が、クラムベリーの並外れた腕力に耐え切れず板塀のようにあしらわれている。

攻撃がくることを前提に、ウィンタープリズンはもう半歩退いた。だが想定していた攻撃はこなかった。クラムベリーはさらに深い間合いへ足を踏み入れてきた。

ローキック。ガードした脛《すね》に鋭い痛みを感じた。つま先を立て、打ちつけている。ローからハイ。頭部を狙ったハイキックの軌道が折れ、曲がり、ガードをすり抜け、ウィンタープリズンの肋骨《ろっこつ》を蹴り抜いた。肺の中の空気を全て吐き出すほどの衝撃。

さらに追撃。今度はミドルからハイ。体勢を崩したウィンタープリズンのコメカミに、クラムベリーがつま先を叩きつけた。身を捻《ひね》ったが避けきれない。頬の肉が抉《えぐ》れ、血肉が飛んだ。頬骨が折れ、歯が砕け、破壊音が鼓膜に直接響く。ウィンタープリズンは足を踏みしめて耐えた。

その時、腹の底に新たなエネルギーを感じた。魔法の力だ。自分が元々持っている力ではない。シスターナナがより強く援護してくれている。これならやれる。

ウィンタープリズンの体内が反撃の態勢を整えた時、クラムベリーの足は未だウィンタープリズンの目前にあった。クラムベリーが足を戻す前に、ウィンタープリズンのマフラーがクラムベリーの脛にがっちりと絡みつく。このマフラーは象徴であっても飾りではない。武器だ。一気に全体重をかけ、マフラーを引き戻し、クラムベリーの足をとった。

右手と左手に渾身《こんしん》の力を込め、折れてしまえとばかりに握り締め、担ぎ上げ、叩きつけた。タイミングを合わせて壁を作り出し、クラムベリーを壁に向かって打ちつける。これなら受身のタイミングもとれまい。頭と岩壁とがぶつかり合い、血が飛んだ。

砂利の上を跳ね、転がっていくクラムベリーにウィンタープリズンが追いすがる。クラムベリーの逃走経路に壁を作って動きを止め、掴みかかった。もつれ合い、絡み合い、腕をとり、足を押さえ、長い髪を引っ張り、腕に巻きつけた。ウィンタープリズンがクラムベリーに馬乗りになる形で睨み合う。

躊躇《ためら》いなく殴った。一発、二発、三発、四発、五発、六発、七発、クラムベリーは受け止め、ダメージを減らそうとしている。ウィンタープリズンは殴り続けた。一度で決める必要はない、少しずつでも打撃を加えていけばいい。音を上げるまで殴り続ける。

「ウィンタープリズン！　後ろ！」

シスターナナの声が聞こえた。ウィンタープリズンが慌てて振り返るがそこにはなにもなかった。呆然とこちらを見ているシスターナナがいた。

直後に後頭部に激しい衝撃を受け、クラムベリーの上から吹き飛ばされた。ウィンタープリズンは砂利の上に爪を立てて勢いを殺し、膝立ちの状態で拳を構えた。

シスターナナの声に反応して反射的に振り返ったが、そこにはなにもなく、ただただ大きな隙ができて攻撃を受けた。シスターナナがわざわざウィンタープリズンの気を逸らすような真似をするわけがなく、そもそも叫んでいたようにも見えなかった。

——クラムベリーの魔法、か？

未だ揺れる視界の中でクラムベリーが立ち上がろうとしていた。

ウィンタープリズンは魔法の行使と同時に立ち上がり、走る。自分とクラムベリーの間にでたらめに壁を立てた。さしたる労力も無しに破壊されるのは承知の上だ。わずかな間でいいから敵の視界を遮ってくれればそれでいい。

ウィンタープリズンはシスターナナを抱き上げ、クラムベリーとは反対側の崖を飛び降り、採石場から離脱した。

◇◇◇

逃げられた。

高波山の地形は頭の中に叩きこんである。それに加えてクラムベリーの五感、特に聴覚は生物の域を超えて発達している。追えば捕まえる自信はあった。

だがクラムベリーは追いかけなかった。崖の上から下を眺め、藪《やぶ》や勾配《こうばい》で下まで見通せないことを確認し、肩をすくめた。

「逃がすぽん？」

魔法の端末から聞こえる声には、咎《とが》めるような、侮《あなど》るような、そんな響きが込められていた。合成音声で器用な真似をするものだとクラムベリーは感心した。

「シスターナナは始末するって話じゃなかったぽん？　あれを生かしておいてもゲームの進行に役立つことはきっとないぽん」

「いや、そういったわけでもない……かもしれません」

クラムベリーとまともに殴り合いが成立した相手はどれほど久々だろう。殴り合いが成立した上でクラムベリーに魔法を使わせた相手はもっと久々だ。

クラムベリーは「音を操る」魔法を使う。シスターナナの声を模して「ウィンタープリズン！　後ろ！」という音声を発し、ウィンタープリズンの気を逸らして無防備な後頭部に打撃を加えた。組み伏せられている不自由な姿勢でさえなければ、あれでトドメを刺すこともできたのだろうが、手負いにしただけで逃げられてしまった。

　ヴェス・ウィンタープリズンはかつてない強敵だった。シスターナナの魔法で援護を受けているとはいえ、格闘戦でクラムベリーと渡り合った。自分の全力を使って戦える相手を前に、喜びが湧《わ》き起こり、脳の奥のあたりが光り輝いたような気がした。それは恋する乙女の感情に似ていた。恋する乙女そのものかもしれない。

　ウィンタープリズンとまともに戦うためには、彼女の枷であるシスターナナが邪魔だ。だがシスターナナがいなければ、ウィンタープリズンはああも強くはないだろう。どうにも具合が悪い。

「考える時間が欲しい。とりあえず保留ということにしておきましょう」

「いい加減ぽん」

「シスターナナに同調しそうな魔法少女……その中でも強そうな人を排除しておくというのが、妥協案としては悪くないのではないでしょうか」

　相手が強いことは大前提だ。相手の命を奪うという共通の目的を持ち、文字通り命を賭《と》して行為に向かう。その時だけは一人ではない。血を流し、肉を削《そ》ぎ、臓物をこぼし、それでもお互いを理解し合えている。だがそこに至るためには、相手が強くなければならないのだ。一蹴してしまえるようではコミュニケーション足りえない。

　自殺的ともいえる戦闘欲は自覚していたが、戦いがなければこんな役目を引き受けていないことも承知していたため、クラムベリーに自己を改める気はさらさらなかった。戦闘狂の森の音楽家は、なかなか止まってくれない鼻血を手首で拭い取った。

◇◇◇

新リーダーになったスイムスイムは、基本、ルーラの方針を継承《けいしょう》しつつも、独自色を出すことを忘れなかった。ルーラならそうするだろうと思ったからだ。

キャンディーを集めることよりキャンディーを奪うことを優先すべきであるというのは変わらないが、奪うにしてもやり方は選ぶべきだと考えた。スノーホワイトからキャンディーを奪った時は真正面からぶつかって、ぎりぎりのところで成功した。ラ・ピュセルが予想以上に強く、三対一での戦闘をすぐに切り上げて救援に来てしまったのが「ぎりぎりのところで」になってしまった原因だ。

もしスノーホワイトがラ・ピュセルと同じくらいに強かったなら。ラ・ピュセルがもっともっと強かったなら。とんでもない魔法を使ってきたら。「ぎりぎりのところで成功」は「無残な失敗」になっていたに違いない。

正面から立ち向かうからこうなる。正面ではなく側面からでも背面からでもいいのだ。スイムスイムは考えた。どうすればいいか、どうするべきか。キャンディーをより多く集めるための工夫を考えるべきか。どうやって相手を無力化しキャンディーを奪うか考えるべきか。考え、思い、悩んでいると、ピーキーエンジェルズが案を出した。

「成功してるやつの足を引っ張ってみるとかどうよ?」「ネガティブキャンペーンってやつだね。お姉ちゃんマジクール」

そういうと、ピーキーエンジェルズはまとめサイトの掲示板に、スノーホワイトの悪い噂を投稿し始めた。魔法の端末をぽちぽちといじりながら、寺の片隅で頭を突き合せている様子がわりとシュールだ。

「白い魔法少女にかつあげされたっと」「じゃあこっちは魔女から怒鳴られたってのにしてみよう」「忍者に蹴られた」「修道女に肩パンされた」

ルーラならもっと良い思いつきがあっただろうか、とスイムスイムは思った。

◇◇◇

「ごちそうさまでした」

夕食を食べ終え、小雪《こゆき》は茶碗を置いて一息ついた。視線を感じ、顔を上げると父がじっと小雪を見ていた。心配と好奇心が入り混じった眼差しに、小雪はなんとなく居づらくなって身じろぎをした。

「ど、どうしたの？」

「いや……うん」

なぜか歯切れが悪い。父は広くなり始めた額をぴしゃりと叩いた。態度がおかしい。普段の姫河《ひめかわ》家の団欒《だんらん》はなににせよもっとわかりやすい。キッチンで母が洗い物をする水音だけはいつも通りだ。

「本当にどうしたの、お父さん？　気持ち悪いなあ」

「いや、ここんとこ小雪が元気なかっただろ」

小雪は大きく目を開いてパジャマ姿の父を見返した。髪の毛の量以外は昔から驚くほど変わらない。小雪は大きくなると「お父さんに似てきたね」といわれることが増えたが、自分ではどこが似ているのかわからない。

「ご飯の量も減ってたしな。昨日なんて全然箸《はし》が動いてなかったろ。顔色も青白かった。母さんは小雪が失恋でもしたんじゃないのかって」

キッチンから「いわないでっていったでしょ！」と大きな声が飛んできた。

「今日は……まあいつもの小雪より元気はないみたいだけど、それでもご飯はきちんと食べてたからちょっと安心した」

「え、うん」

「ある程度問題も解決を見つつあるってところ？」

「まあ、うん」

「で、失恋だったのか？」

「知らないよ！」

席を立ち、動揺でもつれそうになる足をなんとか前へ動かして廊下を走り、階段を駆け、自室のベッドに倒れこんだ。

沈んでいたことを見抜かれていたらしい。つまり心配をかけ通しだったというわけで、申し訳なく思ったが、失恋云々で申し訳なさは吹き飛んだ。ふっと颯太《そうた》の顔が浮かび、ラ・ピュセルに変わり、小雪は左右に頭を振って想像を振り払った。

◇◇◇

学校、バイト、魔法少女。学校には将来がかかっていて、バイトには現在がかかっていて、魔法少女には命がかかっている。手を抜いていいポイントが一つもなく、華乃《かの》が思索に耽る暇があるのは就寝前と入浴時、あとは登下校の時間くらいしかない。

家から最寄りの駅は歩いて五分、学校から最寄りの駅は歩いて七分。駅と駅の間、乗り換えを含めた三十五分間、華乃は電車に揺られている。

財政が窮乏《きゅうぼう》する以前に購入した定期券は、期限が二年生の三学期学期末までとなっていた。三年生になってからは自転車で、安い自転車が手に入らなければ徒歩で通学しなければならなくなる。それまではせいぜい安穏《あんのん》とした電車通学を満喫《まんきつ》しようと心に決めていた。

行きも帰りも電車の中は学生でいっぱいだ。友達同士で他愛ないおしゃべりに興じる学生達の中で、華乃は一人窓の外を眺める。

大きな赤い菱形《ひしがた》は紅洲飯店《こうしゅうはんてん》の看板だ。水餃子が美味しい店として有名だったが、店の裏のゴミ置き場にカラスが集っていることが多々あった。あそこの店主は頑固《がんこ》で知られているため、他人が忠告しても聞く耳をもたないだろう。どうするべきか。

今にも倒れそうな駅前のビルは市営の立体駐輪場だ。一階から二階の階段、その一段目が錆びて、小さな穴が開いてしまっている。修繕《しゅうぜん》するなりなんなりしないと、いつか誰かが怪我をするだろう。役所に投書してもどうせ梨《なし》の礫《つぶて》だ。トップスピードに修繕用の道具がないかどうか聞いてみた方がいいかもしれない。

夕方ともなれば電飾で眩《まぶ》しいスーパーの真横には大きな歩道橋がある。三日に一度くらいのペースで夜十時になると歩道橋横のベンチに腰掛けている背広姿の中年男性が少し気になっていた。身なりからいって定職があるのだとは思うが、いつ見ても辛そうな顔で俯《うつむ》いている。一度声をかけてみるべきかもしれない。

こんなことを考えている間に電車は中宿を通り越し、華乃は通学バッグからスマートフォンを取り出す。魔法の端末ではない、普通のスマートフォンだ。まとめサイトでは今日も魔法少女の目撃情報が数多く寄せられていた。中でも多いのはやはりスノーホワイトだ。

中宿のことを考えている時、華乃は思う。キャンディーを稼ぐために予定を組み立てているのか、それとも魔法少女として受け持った地域のことを考えているのか、どっちなのだろう。二ヶ月前なら間違いなく前者だった。今はどちらともいえない。前者は自分らしいし、後者は鬱陶しいお節介焼きだと思う。が、それでもどちらともいえない。

キャンディーは物凄く欲しくて、そのために中宿のことはなんでも調べた。その結果、中華料理店のゴミ捨て場事情から立体駐輪場の階段まで華乃が知らないことはなにもない。知識の一端《いったん》をトップスピードに語ってやると「すげー詳しいな！　やっぱ魔法少女はそれくらいの地元愛がねーとな」と褒められた。大仰な物言いに舌打ちをしたが、嬉しくないわけではなかった。

スノーホワイトもこんなことを考えながら人助けをしているんだろうか。

まとめサイトのページを読み進めてみる。白い衣装が真っ黒に汚れることも厭《いと》わず自転車のチェーンをつけ直してくれた。泣いている子供の頭を撫でている白い魔法少女が誰よりも泣きそうな顔をしていた。不確かな伝聞であっても、行為や挙措《きょそ》から本人の人となりまで伝わってくるようだ。

目的の駅が間近いというアナウンスを聞き、華乃はスマートフォンを通学バッグにしまった。

◇◇◇

ウィンタープリズンは敗北一歩手前にまで追いやられた事実を重く受け止めた。

話し合いに応じてくれた相手から襲われたという出来事は、シスターナナの心を深く傷つけた。魔法で気を逸らされたとはいえ、肉弾戦という得意分野で苦汁《くじゅう》を舐《な》め、シスターナナを守りきれなかったウィンタープリズンも少なからずショックを受けたが、シスターナナ本人に比べればどうということはない。相手を殺さないで痛めつけようとしていた自分の傲慢《ごうまん》さを恥じ、あのクズに次会った時は一撃で仕留めてやると誓うだけのことだ。

しかし打ちひしがれたシスターナナには休んでいる暇もなかった。

クラムベリーと交戦した日の翌日には、新人魔法少女にレクチャーする予定が入っていた。ウィンタープリズンは取り消すか延期すべきだと主張したが、憔悴《しょうすい》したシスターナナは頑《がん》として譲《ゆず》らず、結局約束を守ることになった。

魔法少女は傷の治りが早い。ウィンタープリズンが負った怪我はすでに全快している。だがシスターナナの心の傷はあきらかに治りきっていない。

蹌踉《そうろう》とした足取りのシスターナナの二歩後ろを歩きながらウィンタープリズンは考える。

新人魔法少女がシスターナナを傷つけるような者であればけして容赦はすまい、と。

木挽町《こびきちょう》の夜は暗く深い。見通しのきかない闇は魔法少女の存在をも覆い隠してくれる。高い建物はないが、街灯さえ避ければ普通に道端で話していても見咎める者がいない。それをいいことに、ウィンタープリズン達は廃工場の前で待ち合わせていた。

元々、材木屋通りと呼ばれていたこの一帯は、長引く不況の煽《あお》りを受けて会社が連鎖的に倒産、工場は閉鎖、深夜にここを一人で通る者は、度胸試しの無鉄砲か、本職の泥棒か、それとも変質者かといった有様だ。

魔法少女はどちらかといえば泥棒よりも変質者に近いだろうか、と自虐的に考えてから、シスターナナが視界に入り、ウィンタープリズンは慌てて打ち消した。

シスターナナは聖女だ。自分を犠牲にして他人を助けることができる。

自分はそれほどたいした存在ではない。だがシスターナナのためならば命を賭けることができる。

では目の前の魔法少女はどうだろう。

一般人とさして変わらない格好のウィンタープリズンからいわれたくはないだろうが、装いは比較的地味で、羽二重奈々の自宅本棚にあった小説「不思議の国のアリス」の主人公をそのまま抜き出してきたようだ。ただし配色を除く。絵本のアリスは黒一色ではなかった。カラスの濡れ羽色一色に染め上げられた「不思議の国のアリス」は、むっつりと押し黙る本人の様子と合わせて葬式帰りの喪服《もふく》を思わせた。右腕で抱いた白兎《しろうさぎ》のぬいぐるみが可愛らしさよりも不気味さを強調している。

不健康に見えるのは装いだけではない。魔法少女は、たとえ無法者のカラミティ・メアリや、狂人のクラムベリーであったとしても、顔色は美しく、頬はつややかで、身体はほどよく肉づきが良い。肉体的な魅力を自然な形で見せつけている。

この魔法少女……レクチャーしてやってほしいとファヴから紹介された新人魔法少女「ハードゴア・アリス」は、目の下に濃い隈《くま》があり、瞳は暗く淀んでいる。猫背気味に背中を若干《じゃっかん》湾曲させ、薄い色の唇を小指の先程度に開き、両手を左右に力なく垂らしていた。顔色は白いというより青白く、確か胃弱の人間がこんなふうだった。

沈んでいながらも、情熱をこめて熱く語るシスターナナの話を聞いているのかいないのか。ウィンタープリズンの目には、アリスはただぼうっとしているだけにしか見えない。

「今こそ団結すべき時です。これ以上の犠牲を出さないためにも知恵を集めて考えましょう。私達には現状を打開するアイディアが必要です」

返事をしない。相槌を打たない。瞬きさえしていないようだ。最初に名乗ってから一切反応をしていない。

そもそも今回の騒動は、魔法少女が十六名になったことが発端《ほったん》となっている。十六番目

の魔法少女であるアリスはもう少し責任を感じてもいいのではないか。真面目に聞く気がないのだとしても、真面目に聞いているふりをするくらいはシスターナナへの礼儀というものだろう。

ウィンタープリズンはアリスへの苛立ちを感じた。苛立ちは募り続けている。

魔法は人を幸せにするためにあるのだと説いても無反応。

カラミティ・メアリに襲われたことを話しても無反応。

善行をなすことでマジカルキャンディーを貯め、キャンディーの数によって週に一人が脱落していくというルールにも無反応。

ねむりんが脱落したことへの無念を語っても無反応。

ルーラがなぜか脱落してしまったと疑念混じりに説明しても無反応。

クラムベリーという頭のおかしい魔法少女について話しても無反応。

この間もウィンタープリズンの苛立ちは累積《るいせき》し続け、我慢の限界が近づいていた。クールな風貌《ふうぼう》と物静かな態度から、冷静で理性的な魔法少女だという誤解を受けることがあるが、ウィンタープリズンは気が短い。そろそろ怒鳴りつけてやろうかと思った矢先、

「つい先日スノーホワイトが襲われたという話を聞きました。おそらくはキャンディーを狙ってのことでしょう。スノーホワイトはキャンディー所有数がトップだと発表されたばかりでしたから。ああ、なんという浅ましいことを……」

アリスの肩がびくりと震えた。

「スノーホワイトというのは」

シスターナナが話を止めた。小さくぼそぼそとした喋り方ではあったが、出会ってから初めて、アリスが口を開いた。

「白い魔法少女ですか？」

「え？」

「スノーホワイトは白い魔法少女ですか？」

「ええ、そうです」

「学生服みたいな」

「そうですね」

「どこにいるかわかりますか？」

「担当地区は倶辺ヶ浜だったと思います。ですよね？」

最後の一言はウィンタープリズンへの確認だ。ウィンタープリズンが頷くやいなや、アリスは踵《きびす》を返して駆け出した。走る足音が遠ざかっていく。ウィンタープリズンは「あいつは敬語なんて使うことができたのか」と的外れを自覚した感想を抱いた。

「ひょっとして……スノーホワイトを助けに行ったのでしょうか」

キャンディーの所有数が最も多いのはスノーホワイトという情報を入手し、嬉々としてキャンディーを奪いにいったのではないかと考えたが、それを口に出せばまたシスターナナが過敏に反応すると知っていたので、ウィンタープリズンはすました顔で頷いた。

◇◇◇

ラ・ピュセルは反省をした。深く深く反省した。深く深く深く深く深く反省した。

魔法の端末のバージョンアップをキャンディーの譲渡《じょうと》目的だとしか考えていなかった甘さを反省した。奪い奪われることを想定していなければならなかった。そうすればもっと警戒することができたはずだ。

スノーホワイトとの待ち合わせ場所を倶辺ヶ浜の鉄塔に固定していたことを反省した。あれはチャットで話したこともある、半ば公開情報だった。不心得者《ふこころえもの》が襲撃するには絶好のポイントだったろう。

スノーホワイトと同じ考えを共有しているものだと決めつけていたことを反省した。スノーホワイトはそもそも戦いたくなかったのだ。ラ・ピュセルの考える魔法少女像と同じ理想を持っているものだという勝手な決めつけは、あまりにも傲慢だった。

足止めであることを教えられるまで足止めだと気づけなかった自分を反省した。力を振るう機会に心が浮き立ち、没入するあまり、スノーホワイトを危機に陥《おとしい》れてしまった。

三万七千ものマジカルキャンディーを奪われた責は、全てラ・ピュセルにある。

反省した部分をそのままにせず、より安全かつ快適に魔法少女活動ができるよう改善をした。待ち合わせ場所は一日ごとに変更するようにした。リスクを分散するためキャンディーは分けておくことにした。警戒を怠《おこた》らないよう、二人でいる時は背中合わせで会話するようにした。これで前後どちらから襲われても対処できる。

反省するとともに恥じた。

君のことは絶対に守るなどと誓っておきながら数日でこの有様だ。恥ずかしい。スノーホワイトと顔を合わせられないくらい恥ずかしい。しかし顔を合わせないわけにはいかない。今後も似たようなことがないとは限らない。その時こそスノーホワイトを守りきらなければならない。結果的に助けることはできたものの、あれ以来スノーホワイトは沈んでいる。彼女をもっと元気づけてあげたい。ラ・ピュセルはそう考えた。

悲しげなスノーホワイトを見ると、自分まで悲しい気持ちになる。キャンディーを奪われたこと、奪うという発想に至った魔法少女がいたことに、彼女は大きなショックを受けている。話しかけても生返事が多く、放っておけば夜風に吹かれるまま何も話さずどこか遠くに目をやっている。

思えばスノーホワイトは……姫河小雪は、小さい頃から争い事の嫌いな子だった。自分には関係のないことで誰かと誰かが喧嘩を始めても泣き出してしまう女の子だった。なにかを奪い合い、傷つけ合うということには最も不向きな魔法少女だった。

守らなければならない。

スノーホワイトと鉄塔の上で抱き合った時のことを思い出すと胸が高鳴ってくる。彼女が襲われていた時のことを思い出すと全身の血液が逆流する。

今、隣にスノーホワイトはいない。彼女はすでに帰宅した。

「こんばんは」

「ああ」

不意に背後から声をかけられた。ラ・ピュセルは慌てることも騒ぐこともなく応じた。今日はずっと視線を感じていた。スノーホワイトとラ・ピュセルの様子を窺う何者かの存在があった。ラ・ピュセルは第三者の存在を感知できたが、スノーホワイトは気づいていないようだった。

またスノーホワイトを狙う魔法少女が現れたのか。そう考え、スノーホワイトと気配の間に立ちはだかるようにして、彼女を先に家に帰した。が、気配は離れることなく、ラ・ピュセルに声をかけてきた。

「気づいていたようですね」

「ああ」

「さすがです。ではなぜスノーホワイトを帰したのですか？」

「私一人の方がやりやすい」

「それはそれは……話が早い」

第七港湾倉庫は鉄塔よりも背が低かったが、海との距離は近かったため、潮の匂いは強かった。濃い潮の匂いが風にのって吹き寄せてくる。雲の間からちらちらと星が瞬いていた。その魔法少女は外見年齢が高かった。ラ・ピュセルの知る魔法少女は敵も味方も自分自身も十代ばかりだったが、二十歳前後に見えた。

「ラ・ピュセル。貴女は三対一で戦い勝利したと聞きました」

「勝利などとはいえないものだ」

「謙遜《けんそん》も卑下《ひげ》も必要ありません。私にはその事実があればよいのです。貴女が強い魔法少女であるからこそ、私が貴女に挑戦する意味がある」

ラ・ピュセルは目をしばたいた。

「キャンディーが目的ではないのか？」

「私は森の音楽家クラムベリー。キャンディーはいりません。欲しいのは強敵です」

キャンディーの奪取を目的とした魔法少女ではなかったのか。先日賊に襲われたばかりであるため、そう考えてしまうのは仕方ないことだが、短絡的な思い込みで決めつけていたのは少し恥ずかしい。照れ隠しに尻尾で倉庫の屋根をぴしりと叩いた。

しかし、それにしても、強敵との戦いを求めてつきまとっていたとはふるっている。

ラ・ピュセルとしても望むところだ。こういうシチュエーションは嫌いではない。強者を目指し、強敵を求む二人が出会い、全力を尽くし正々堂々と戦い、お互いを認め合う。漫画やアニメで度々目にし、そんな関係に憧れてきた。

「我が名はラ・ピュセル。森の音楽家クラムベリーよ。相手になろう」

「ありがとうございます」

ラ・ピュセルは剣を抜き、クラムベリーは拳を握った。潮風が倉庫の上で対峙した魔法少女二人をなぶり、クラムベリーの身体を飾る花々が揺れた。全身を彩る花はスノーホワイトを思わせたが、色合いは彼女の花飾りよりも濃く、鮮やかで、生々しかった。

『チャット　その3』

ファヴ：はいそれじゃ今日も元気にチャットなんですけどぽん
ファヴ：えーっと……なんか誰もいないぽん
ファヴ：三週目にして参加者が二人とかちょっと困るぽん
ファヴ：まあいいぽん。どうせみんなログ見るんだろうし
ファヴ：クラムベリーはいつも参加してくれてありがとぽん
ファヴ：他に誰もいないしBGMオンにしてくれてもかまわないぽん
ファヴ：それじゃお知らせが三つあるぽん
ファヴ：良いお知らせが二つ、悪いお知らせが一つ
ファヴ：せっかくだから良いお知らせを先にしようかぽん
ファヴ：魔法の端末がまたバージョンアップしたぽん
ファヴ：便利なアイテムをダウンロードできるようになったぽん
ファヴ：全部で五個！
ファヴ：どれも先着一名様限り、早い者勝ちぽん

ファヴ：それでは次、悪いお知らせいくぽん
ファヴ：ラ・ピュセルが事故で死んじゃったぽん。悲しいぽん。つらいぽん
ファヴ：でもこの犠牲を無駄にすることなくみんな頑張ってほしいぽん
ファヴ：で、最後の良いお知らせ
ファヴ：ラ・ピュセルが死んじゃったから今週の脱落者は無し
ファヴ：というわけでまた来週～
ファヴ：あ、キャンディー所有数トップの発表は本人が嫌がったから取りやめぽん
ファヴ：ご了承くださいぽん

魔法の端末から聞こえてきているはずのＢＧＭは掻き消えていた。自宅でも学校でも葬儀の場でもこらえ続けていたスノーホワイトの慟哭《どうこく》と、吹き荒ぶ風が掻き消していた。身をよじり、吠え、泣き喚き、鉄塔を殴りつけた。

スノーホワイトは泣いた。原因を考える余裕もこれから先のことを思うゆとりもなかった。ラ・ピュセルの死が、岸辺颯太の死が、悲しくて、悲しくて、泣き続けた。

第四章　月夜の魔法少女

ラ・ピュセルが死に、その週は脱落者が出なかった。死因についてはたいした問題ではない。誰かが死ねば自分は脱落することがない。誰かを殺せば自分は脱落することがない。生きたいのなら殺せばいい。そう考えるべきだし、やがて誰もがそう考えるだろう。

「そう上手く運びますかね」

「いけるいける。今回は人集めるためにソーシャルゲームなんて若者向けな媒体《ばいたい》使ってるぽん。そのおかげで人はたくさん集まったし、年齢は全体的に若いし。若いだけあって血の気が多いはずだからちょっと燃料投下してやりゃいいぽん」

ソーシャルゲームを材料にしたのはファヴの発案である。つまり自分の手柄であるといいたいのだろう。クラムベリーがファヴと出会ってからそこそこ経つが、こういうところがどうしても鼻につく。きっとファヴもクラムベリーのことを面倒くさいやつだと思っているはずだ。仕事で付き合っている間柄はこんなものでいい。

クラムベリーはベッドに寝転がって魔法の端末を操作していた。「魔法少女育成計画」

のスタート画面には新たな項目「アイテム購入」が追加されている。

四次元袋。一人で持ち上げることができる大きさ、重さであればどんなものでも入れることができるよ。四次元だから入れておける数も無限大だよ。

透明外套《がいとう》。羽織《はお》った人が誰からも見えなくなるよ。匂いもなくなるから犬にも見つからないよ。

武器。アバターのコスチュームに追加できる武器だよ。魔法少女の力で振るっても簡単には壊れないんだ。武器の種類はリストの中から選んでね。格好いい名前をつけよう。

元気が出る薬。テンションマックスになる薬だよ。怪我が治ったりするわけじゃないから勘違いしないでね。使い過ぎると体に毒だよ。一壜十錠。

兎の足。大ピンチになったらラッキーなことが起こるよ。それでピンチから救われるかどうかは君次第だからあんまり期待しすぎないようにね。

ダウンロードアイテムが全部で五個。どれも「魔法の国」では日用品に過ぎない。だが使用するための代価を要求するのだという。より過激な殺し合いになるようアイテムを与え、その代価を取り返しのつかないものにすることによって魔法少女達の退路を断つのだ、とやはり自慢げにファヴは語った。

クラムベリーは、魔法の端末に向かって話しかけた。

「ファヴ」

「はいはいマスター。なんの御用ぽん？」

蝶の羽が生えた白黒の球体が画面の端からフェードインしてきた。

「アイテムの追加によって『強い者を残す』という本来の目的がぶれることはありませんか？　アイテム次第で弱い者が強い者を倒してしまうかもしれない」

「その程度で死ぬならその程度の強さだったんだろうぽん」

ファヴは空中でひらりと一回転し、リンプンを振りまいた。

「魔法少女ってやつは、本来ただの魔法使いじゃないぽん。『魔法の国』が毎度やってる、ぬるくさい選抜試験で選ばれるのは本物じゃないぽん。連中はヒーローでなくちゃならないぽん。アイテム追加ごときで不慮の死なんてのはヒーロー失格。脇役が死ぬべくして死んだってことで片付けて問題ないぽん」

画面内のファヴの口がわずかに歪む。それはとても禍々《まがまが》しい笑みに見えた。

「なあマスター！　あんたは強いやつと戦ってりゃ満足なんだろう？　強いやつが勝ち残れない従来の選抜試験が気に食わないんだろう？　だったらこれでいいんだよ。小賢しさや要領のよさだけで生き残ろうとしてるやつが本物のヒーローにぶっ殺される展開さ」

いいたいだけいうとファヴは再び空中で一回転し、元の無表情に戻った。

「ということぽん」

「そうですか」

「全力で戦いたいってマスターの願い叶えてるわけだから、より刺激的な見世物が見たいってファヴの要望にも応えてもらうぽん。そういう契約だったはずぽん」

「私も見世物の内ですか？」

「さあ？」

ファヴは表情を変えないまま笑った。

◇◇◇

「このアイテムってさ……無料《ただ》なの？」

「『魔法少女育成計画』は課金一切無し。お金なんてとらないぽん」

「でもさ、アイテムの名前の下に数字があるよね。袋は十、外套は二十五、武器は五、薬が三、兎の足は六……」

「お金はもらわないけど代価をもらわないなんて一言もいってないぽん」

「何かを払うの？」

「寿命をいただくことになるぽん。武器なら五年、袋なら十年。外套は二十五年。強い魔法のアイテムを作るにはそれだけの代償が必要になるぽん。でもこれはスノーホワイトみたく戦闘向きじゃない魔法を使う魔法少女のための救済措置ぽん。他の魔法少女との差をアイテムで埋めてほしいぽん。今そこにある危機に比べれば、あるかどうかもわからない寿命なんて些細《ささい》なものぽん」

スノーホワイトは、ブロック塀《べい》に背を預け、ずるずるとへたりこんだ。酔っ払いや野良犬さえいない煤《すす》けた路地裏という場所も手伝ってか、世界の中に自分一人しかいないような孤独を感じる。誰もいない場所を求めてここへ来たのに、誰もいないことがスノーホワイトを苛んでいる。手の甲で額を拭うとねっとりした汗がついてきた。きっと顔色も酷《ひど》い。

岸部《きしべ》颯太《そうた》は交通事故死ということで処理された。スノーホワイトは姫河《ひめかわ》小雪《こゆき》として通夜にも式にも参加したが、颯太の遺体を見ることはできなかった。遺体の損傷が激しかったためだという。颯太を轢《ひ》いた車は市内の駐車場で発見されたが、盗難車だった。運転手は未だに捕まっていない。

スノーホワイトは目元を拭った。今度は涙がたっぷりついてきた。ラ・ピュセルがいなくなってから止め処《ど》なく流れ続けていた涙はもう涸《か》れ果てたと思っていたが、ラ・ピュセルのことを思い出すと、滲《にじ》み、流れる。

「そうちゃん……」

鉄塔で初めて話した日のこと。他の魔法少女達から襲われて助けられた日のこと。貴方を守る剣となりましょうと誓ってくれた日のこと。自分の魔法を教え合い、みんなには内緒だと指切りをした日のこと。身を挺《てい》して自動車から子供を庇《かば》い、「咄嗟《とっさ》に体が動いただけだ」と照れていた日のこと。子供を庇った騎士としてまとめサイトに掲載され、二人で一緒に喜んでいた日のこと。魔法少女の漫画やアニメについて激論を戦わせた日々のこと。まだ幼い二人が並んでアニメを視聴していた日のこと。

将来魔法少女になる、絶対になるんだと断言した小雪を羨《うらや》ましそうに見ていた颯太。男でも魔法少女になれるんだと誇らしげだったラ・ピュセル。サッカーボールを蹴りながら登校していた颯太。中学生になったばかりの息子を失い、顔をぐしゃぐしゃにして泣いていた颯太の母……。

抱《いだ》かれた時に感じた温もり。胸の奥がじんわりと温かくなった。

時系列がぐちゃぐちゃに乱れ、思い出が次々と浮かんでは消えていく。

このままではいけない。いいわけがない。わかってはいるのに、小雪の心は立ち止まって動かない。前へ進もうとしてくれない。

「そうちゃん……そうちゃん……」

「聞こえよがしに泣いたって誰も同情してくれないぽん」

魔法の端末は路面に画面を向けて転がっていたため、ファヴの声がいつもよりこもって聞こえた。ここではないどこからか聞こえてくるようだった。

「めそめそしていれば誰か助けてくれるぽん？　スノーホワイトはラ・ピュセルの犠牲を無駄にするぽん？」

犠牲という言葉が背負った十字架のように重くのしかかる。颯太を轢き殺した犯人は捕まっていない。本当に人間が犯人なんだろうか。恐ろしいことを考えているということは自分でも理解できている。なのにその考えから離れられない。

颯太は魔法少女に殺されたのではないか？　魔法少女を殺す魔法少女がこの街にいるのではないか？　そんな魔法少女がいたとして、アイテムを手に入れたら……。

「ラ・ピュセルのためにも元気を出すぽん。勇気を出してアイテムを選ぶぽん」

スノーホワイトは、のろのろと魔法の端末に手を伸ばし、アイテム選択画面を開いた。並んだ五つのアイテム。その下には数字が記されている。

「寿命……」

動悸《どうき》が激しい。呼吸が荒くなった。口から息を吐き、吸う。荒げた呼吸音が誰も居ない路地裏に響く。地面がぐらぐらと揺れている。気のせいか、それとも本当に揺れているのか。今のスノーホワイトにはわからない。

アイテムを手に入れれば寿命を失う。最短で五年、最長で二十五年。ラ・ピュセルならどうするだろう。スノーホワイトは震える指先で購入をクリックした。寿命を二十五年消費する透明外套。これがあれば襲われた時に逃げ出すこともできる……かもしれない。

そーるどあうと！

——売り切れ？

画面に表示された売り切れを示す文字。スノーホワイトは別のアイテムをクリックしたが、そちらも売り切れ。どのアイテムをクリックしても同じ文字しか表示されない。

「あーあ、だからいったぽん。早い者勝ちだからすぐに買えって」

取り落とした魔法の端末が跳ね、転がり、飲食店裏に据《す》えてあったスチール製のゴミバケツに当たって高い音を立てた。

「昔から先んずれば人を制すと——」

ファヴが何事かをいい募っていたが、スノーホワイトの耳には入っていない。スノーホワイトは先ほどまで魔法の端末を持っていた右手を呆然と見つめた。

◇◇◇

武器、透明外套、元気が出る薬。

スイムスイム、たま、ピーキーエンジェルズが手に入れたアイテムは全部で三つ。全て買い占めてしまいたかったが、兎の足と四次元袋は売却済みだった。

「もうちょい早く見つけてりゃねー」「そりゃいいっこなしよお姉ちゃん」

ダウンロードアイテムの販売が開始されていたというピーキーエンジェルズの知らせを受け、四人は王結寺に集合した。アイテムを手に入れるための代償をファヴから聞き出し、スイムスイムは購入を即断した。

たまには武器の購入、ピーキーエンジェルズの二人には元気が出る薬の購入を命じ、寿命というあまりにも大きな対価を支払いたくないと渋るピーキーエンジェルズの前で、自分は透明外套を購入した。

リーダーが率先《そっせん》して二十五年も寿命を縮めた。その行為を前にして数年間寿命を短くすることに異を唱えられる者がどれだけいるだろうか。身をもって「どうしても必要である」ことを示したスイムスイムは、残りの三人を動かした。薬については、じゃんけんで負けたユナエルが寿命を支払った。

寿命を失うというファヴの説明は半信半疑だったが、実際購入してみると確信できた。購入をクリックした瞬間、ぞっとするような感覚が背中を駆け抜けていった。その感覚は身体の奥からなにかを確実に奪っていった。残っているのは寒気だけだ。

たまは質問した。

「スイムちゃんは二十五年も早く死んじゃうのに怖くないの？」

「怖い」

「怖いの？　怖いならなんで」

「私はリーダーで。これは必要だから」

スイムスイムはいつものスイムスイムのままにしか見えなかった。気負いもないし恐れや躊躇いもない。ついさっき寿命を二十五年も差し出したとは思えない、呆れるほど普段通りのスイムスイムだった。

ルーラだったらなんと答えただろう。ルーラだったらどうしただろう。たまは気がつけばいつもルーラのことを考えている。

ルーラは自信満々だった。ルーラは賢かった。ルーラは強かった。自信、賢さ、強さ。全部たまは持っていないものだ。ルーラはそれらを持っていた。

たまに魔法少女としての生き方を教えてくれたのもルーラだった。たまになにかを教えてくれようという人は大抵の場合途中で投げ出すことになる。幼稚園、小学校、中学校、ずっとそうだった。先生に見切りをつけられるか、最後まで教えてもらう前に上の学年、学校に上がってしまう。

ルーラはたまを見捨てなかった。覚えが悪いと怒鳴り、どやしつけ、罵倒し、それでもたまが側にいることを許してくれた。足元に擦《す》り寄っていっても蹴りつけられるが、捨てられることはないならそれでもいい。首輪をもらった時は嬉しくなって境内を走り回り、「うるさい！」と怒鳴られた。

スイムスイムにとってのルーラも同じだと勝手に思っていた。スイムスイムがルーラの排除を口に出すまでは。

冗談かなにかだろうか。それとも自分にはわからない深い意味があるのだろうか。よくわからないまま流されていたらクーデターは成功し、ルーラは死んでスイムスイムがリーダーになった。計画を説明されていたにもかかわらず、その計画の意味をわかっていなかったたまにとっては寝耳に水で、だからといって文句をいうわけにもいかず、どうすることもできないまま、たまは今も王結寺にいる。

「おおっ、すごいね」「マジクールだね」「切れ味やばそう」「これに切られたくねー」

スイムスイムが振るう「武器」は薙刀《なぎなた》に似ていたが、刃の部分は薙刀ほどの反《そ》りがなく、出刃包丁《でばぼうちょう》を大きくしたような形だった。柄の長さが一メートル、刃渡りが三十センチほど。天使二人が誉《ほ》めそやすほど格好良いものではなく、形だけなら無骨《ぶこつ》で不恰好だ。褒めている二人はおべっかを使っているつもりなのだろう。

「名前はどうすんの？」「なんか格好いい名前つけろってあったけど」

スイムスイムは顎を引いてしばし黙考し、一言、

「ルーラ」

と呟いた。元リーダーの名前をそのままつける真意を量りかね、ピーキーエンジェルズもたまもなにもいえずにじっと武器を見た。武器は天使の光輪を反射し光っていた。

スイムスイムは仲間内でアイテムを共有しようと提案した。最終的に、透明外套がたま、

武器がスイムスイム、元気が出る薬がピーキーエンジェルズに行き渡った。最も寿命を多く支払ったスイムスイムが一番安価な武器を使用することになったが、それはスイムスイム本人が希望したことであり、不服を唱える者は誰もいなかった。

たまはスイムスイムに質問した。

「一番いいものを使いたくないの？」

「この武器は私の魔法に合う。その外套はあなたの魔法に合う」

そういってから

「ピーキーエンジェルズは保留」

と付け加えた。

たまは「透明外套が自分の魔法に合うとはどういうことだろう？」と考えたが、答えは出なかった。武器がスイムスイムに合うというのはなんとなくわかった。スイムスイムが武器を振るう姿は様になっていたからだ。

スイムスイムは思案していたたまを見て悩んでいるとでも思ったのか、よしよしと頭を撫でてくれた。ルーラなら「この馬鹿」と怒鳴りつけていたところだろう。どちらがいいかは今のたまにはわからない。これからわかるのかもしれない。

みんな気がついている。頭の回りが早くないたまでさえ気がついているのだから、きっとみんな気がついている。ラ・ピュセルが事故でいなくなって、その週の脱落者は出なかった。そこにアイテムが追加された。どのアイテムも人を助けるより他のことに使えてしまいそうな気がする。スイムスイムもピーキーエンジェルズもやる気満々だ。いったいなんのやる気だろうと考えて、たまは身震いをした。

◇◇◇

複雑な模様が編みこまれた毛の長い絨毯《じゅうたん》や黒檀《こくたん》の小机、黒革張りのソファー、きらびやかなシャンデリア、ゴテゴテした額に飾られた簡素な水彩画、三又のコート掛け、銀色に鈍く輝く燭台《しょくだい》と蜂蜜色の蝋燭《ろうそく》、これらの調度品だけでなく、柱一本、床板一枚とっても質の高さが滲《にじ》み出ている。これがクラブのＶＩＰルームというやつか、と部屋の中を見回した。

カラミティ・メアリはよくない噂に関して事欠かなかったが、そんな噂の一つに暴力団とのつながりもあった。ビルの裏口からこの店に入り、他の客と顔を合わせることなく、黒服から咎められることもなく、スムーズに部屋まで通された。これだけで噂を裏付けているといえなくもない。

魔法少女「マジカロイド44」は背中にランドセル型の大型ブースターを背負い、腰部にウェポンラックを備え、対閃光《せんこう》用素材で頭部メインカメラを覆い、各所に姿勢制御用の小型ブースターを配置、素肌の質感と鋼鉄以上の強度を併《あわ》せ持つマジカリウム合金により作成されたという設定のロボット魔法少女である。他の魔法少女がコスプレをした人間だとすれば、マジカロイド44は人間に似せた機械だ。決定的に異なっている。

しかし案内役の店員が驚きの声をあげたり指を差したりすることはなかった。表情は硬かったがそれだけだ。

「先輩の教育が行き届いているんデスね」

「おだてたってなにも出ないよ」

カラミティ・メアリは、バカラのグラスを満たしていた琥珀色の液体を喉に流しこんだ。股《また》を開いてソファーに腰を埋めている姿はマカロニウエスタンの女ガンマンそのものだ。

今月の頭、まとめサイトに掲載されたカラミティ・メアリのマンション襲撃事件を思い起こす。大陸系マフィアのアジトが急襲されたというあの事件は、カラミティ・メアリが独断で実行したというより、何者かに依頼されて、というストーリーの方がより自然だ。その何者かはカラミティ・メアリになにかと便宜《べんぎ》を図ってくれるようになるだろう。たとえば、高級な店で高級な酒を好きなだけ飲ませてくれて、本来は許されない使い方をしても文句はいわず、連れが誰であろうとも店員はスルーしてくれる、とか。

カラミティ・メアリならそれくらいしてのける。先輩後輩として付き合っているだけの仲だが、それでもわかる。彼女の振舞いについては口出しするだけ損というものだ。

「アイテムが売りに出されたデスね」

「あんたなに買った？」

「買わなかったデス。寿命が惜しいものデスから」

正直に答えた。カラミティ・メアリに嘘はつかない。

「たるいねェ。あたしは袋を買った。ありゃ便利でいいわ」

「それは羨ましいデス」

カラミティ・メアリは、今日何度目になるだろう、グラスを琥珀色の液体で満たし、一息で飲み干した。外面はともかく、内心ではマジカロイド44は呆れている。魔法少女に毒物は通用しない。肉体的な頑健《がんけん》さが毒の作用を受けつけないからだ。当然アルコールで酔うこともないはずだが、それでもカラミティ・メアリは酒を飲み続けている。人間でいる時の習慣か、魔法少女としてのキャラづけか。

「ところで先輩、ワタシのお話聞いてもらえるのデス？」

「あたしとコンビ組ませてくれ……だっけ？」

「ええ。その辺は魔法の端末でお伝えした通りデス」

ラ・ピュセルが死に、そのおかげで脱落者は出なかった。つまり誰かが死ねばキャンディーの多寡に関係なく死亡者が脱落する。となればキャンディーを集めるよりも手っ取り早いと考える魔法少女がいるはずだ。殺されるのを待つより先に動いた方がいい。

スイムスイム達四人組。トップスピードとリップル。シスターナナとウィンタープリズン。チームを組んでいる魔法少女は多数派になった。もはや単独行動は危険だ。現在単独で動いているのは、スノーホワイト、森の音楽家クラムベリー、カラミティ・メアリ、それに新人の魔法少女。この中でマジカロイド44と多少ながらでもつながりがあるのはカラミティ・メアリで、戦力として最も頼もしいのもまたカラミティ・メアリである。

「使い走り程度に思ってくれてかまわないデス。ワタシが生き残るためには先輩の力にすがるのが唯一の道デスので」

「ああそう」

カラミティ・メアリが飲むのをやめた。マジカロイド44の目をじっと見ている。値踏みしているようにも見える。嘘を探しているようにも見える。何も考えていない虚ろな目にも見える。外から音が漏れ聞こえることはなく、部屋の中には柱時計一つさえないため本格的な無音状態になった。グラスの中に漂っていた氷がピシッと鳴った。

「あんたのいいところはさ。いつか寝首掻いてくれそうなところ」

「先輩の寝首掻くなんて無理ゲーデスね」

「今日はできなくても明日なら、明後日ならって思ってそうなとこが好きだね」

「勘弁デス」

笑って誤魔化したが本当に誤魔化せているかどうかは甚だ怪しい。内心舌を巻いていた。

正確に評価されていたからだ。

マジカロイド44の魔法は日替わりだ。全部で四億四千四百四十四万四千四百四十四ある「未来の便利な道具」を、一日一個、ランダム、その日限りの使い捨てで、ウェポンラックから取り出すことができる。毎日強力な「未来の便利な道具」が出てくるのなら誰かとチームを組む必要はない。一人で悠々《ゆうゆう》と勝ち残ることができる。しかし日によっては、なにに使えばいいのかわからないものが出てくる。「デブリ除去専用マニピュレータ」や「昆虫雄雌《しゆう》鑑定機」をどう使えというのか。「未来の便利な道具」のはずが、便利でもなんでもない。照る日はいいが曇る日はだめでは困るのだ。

カラミティ・メアリは、野蛮《やばん》で凶暴で理不尽で下衆《げす》な女だが、運営が求めている魔法少女は要するにそういうものなのだろう。このルール下、アイテム配布後も生き残れる魔法少女はそういう種類の魔法少女でしかない。ならばマジカロイド44もそれに沿う。

「ルーラみたいな頭でっかちやシスターナナみたいな愚図《ぐず》はごめんだ。ウィンタープリズンとクラムベリーは顎で使ってやるよりか殺《ばら》し合ってみたいね。スノーホワイトあたりは黙って撃ち殺せばそれで事足りるだろ」

カラミティ・メアリによる物騒な魔法少女評は、少なくともマジカロイド44にはそれなりの説得力があるように思えた。知性も理性も感じない女だが、なにしろ古株である。

「ではワタシ、マジカロイド44は？」

「手下としてちょうどいい、かな。甲寄りの乙。及第点をくれてやるよ」

「ならば組んでいただけるデス？」

「テストに合格したらあたしの背中を預けてやってもいい」

「テスト？」

「一人殺ってこい」

なにを思い描いているのだろう。顔一面に喜悦が広がっていく。

「安心しなよ。もしあんたが返り討ちにあったら仇《かたき》は討ってやるからさ。なるだけ派手に、盛大に、血しぶきで息もできないくらいの大殺戮《だいさつりく》で弔《とむら》ってやるよ」

◇◇◇

支柱、標識、根元のコンクリ。

溶けかけたバターにナイフを落とすのと変わらない労力で、それらがスパスパと切断されていく。

リップルはほどなく標識三つ分を全て裁断《さいだん》し、鉄屑《てつくず》と化した元標識を片端から投げて籠《かご》に積み終えた。投げた元標識は、どのように投げようと、不自然に変化して吸い込まれるように籠の中に落ちていく。魔法「百発百中の手裏剣の腕前」は、手で投げればなにに対しても作用する。案外節操がない。

北宿の火防道路脇に放置され続けていた外国の道路標識——根元から抜いてきたと思しきコンクリ塊付き——三本は、どうにかしてほしいという住民からの嘆願《たんがん》があってからも一ヶ月以上放置されていた。担当部署をどうするかでかなりごたごたしたのが原因だそうだ。処分に至るまで無為《むい》に時間を消費し、住民の怒りを煽り続けてきた三本の廃《はい》道路標識は、今宵、闇夜に紛れた魔法少女二名によって片づけられた。

後は燃えないゴミとして処分場に置いてくれれば任務完了となる。朝になれば誰かが見つけて片付けてくれるだろう。これで一人当たりキャンディー百個弱の稼ぎになる。労力に見合って稼ぎも大きい。

「オッケー、準備完了。後ろ乗りな」

「重さ……」

「ん?」

「重さ……大丈夫……?」

「ああ、そんな心配してたの。いらねーいらねー、これっぽっちも問題ねーよ」

道路標識の残骸を積んだ籠は、トップスピードの箒「ラピッドスワロー」に直結している。道路標識と根元のコンクリまで含めれば人間何人分の重さがあるか知れない。リップルは浮くかどうかさえ心配していたが、トップスピード、リップル、道路標識三つ分、これらを載せた箒は問題なく飛び立った。

「ちょっとスピードが落ちるけどさ。そりゃ重いからじゃなくて空気抵抗とかそーいう問題な。よく知んねーけど」

リップルは舌打ちをした。

確かに、箒の速度が普段より落ちていた。しかし、そのことに対して苛立ったわけではない。普段より遅いということがすぐわかるほど、トップスピードの後部座席に馴染んでしまった自分に苛立ったのだ。

これはもう完全完璧にコンビだ。まとめサイトの目撃情報でも魔女と忍者のコンビとして認識されていた。リップルは舌打ちをし、トップスピードの腰に回していた両腕に力を込めた。

「まあそう怒るなって」

「べつに……」

「アイテムが手に入らなかったのは痛ぇけどさ。でも寿命支払ってまで手に入れる価値のあるもんがどれだけあるのかっつーね」

リップルがアイテムの存在を知った時、すでに全て売り切れていた。トップスピードも同じだったらしい。すぐに連絡があった。

「課金アイテム無しってのがウリだったわけで。だったら今回のも問題ねーって」

相棒なら相棒でいい。もっと頼りがいのある相棒であるのならば。

トップスピードは頼りない。カラミティ・メアリに頭を下げ、へこへこしていた。アイテムを手に入れることができなかった。足として役に立つだけで相棒としていいものか、とリップルは常に思い悩んでいる。

「アイテムがないせいで……殺されるかも……」

「殺されるって誰に？」

「他の魔法少女……」

「はは、ないない。殺されそうになったら逃げちまえばいいんだよ。リップル連れてびゅーんと空に逃げちまえば誰が追いかけてこれるんだっての」

「空を飛べる魔法少女って……他にもいるよね……動画に出てた天使とか……」

「そりゃ飛ぶだけならピーキーエンジェルズだってマジカロイド44にだってできますよ？　だがね、リップルちゃん。空を飛ぶってのと誰よりも速く空を飛ぶってのは全っ然ちげーのよ。俺に追いつける魔法少女はいねー」

トップスピードは庇《ひさし》に手をあて、より深く帽子を被った。後ろからではどんな表情をしているのか窺い知ることはできないが、声の調子はどこまでも軽い。

「強がりや見栄《みえ》でいってんじゃねー。俺はいつでも逃げられるから魔法少女なんてやってんだ。あと半年、死ぬわけにいかねーしな」

半年半年とあまりにもしつこいので、リップルも半年後になにがあるのかとしつこく問い質《ただ》したが、満足する答えは未だにもらっていない。半年後になれば教えてもらえるのだろうか。

月明かりの下、二人の魔法少女を乗せた箒が飛んでいく。

◇◇◇

誰もいない路地裏で、スノーホワイトは不意に振り向いた。

怯えに突き動かされている今のスノーホワイトには小さな音でも神経と耳に障る。アスファルトになにかが落ちたような音がした。気のせいかもしれない。ラ・ピュセルがいなくなってから、誰かがいると思って誰何《すいか》しても誰もいない、なにかが来たと思って待ち構えてもなにも来ない、といったことが毎日のように繰り返されていた。

振り返っても誰もいない。自分の神経が高ぶっているのはよくわかっている。わかっているのにじっとしていることができなかった。じっとしていることが恐ろしかった。

スノーホワイトは走った。

路地裏から路地裏を駆け抜けた。月の光が長い影を作っている。光が当たらない場所を目指して走り、三つ目の角を曲がった時、背後から音がした。コンクリを叩くようなその音は連続している。スノーホワイトが足を止めると音も止まった。

――足音？

肌があわ立った。振り返る。こちらをじっと見つめる二つの目。壁に隠れるようにして、見たことのない魔法少女がいた。

パフスリーブのエプロンドレス、ソックス、シューズ、ドロワーズ、リボンカチューシャ。不思議の国のアリスそのままだが、全てが黒い。所持品で唯一白かったのは不気味な兎のぬいぐるみのみだ。猫背気味の姿勢は、獲物を見つけた肉食獣が飛びかかろうとしているようにも見えた。

「やっと……見つけた」

虹彩《こうさい》の見えない淀《よど》んだ瞳の奥に喜びが見え、唇の端がぎぃっと上がった。スノーホワイトは、身動きすることができなかった。一歩、二歩、三歩。近寄ってくる。距離はおよそ五メートル。スノーホワイトは膝の震えを懸命に抑《おさ》えようとした。四歩目で魔法少女は足を止めた。

黒いアリスは首を傾げた。傾げた角度が徐々に開いていき、そのままゴトンと首が落ちた。首の切断面から気道や血管、骨までがしっかりと見えている。瞬き一つする間もなく、激しく噴出した血が一帯をも染め上げた。

首を失くした魔法少女は膝を突き、前のめりになって首の上に倒れこんだ。スノーホワイトにはなにが起こったのか理解できなかった。黒いアリスから噴き出る血に塗れながら、目を見開き、瞬きもせずに痙攣する死体を見つめた。

「やあ、助けてしまった形になったデスね」

倒れた黒いアリスの後ろにはロボットがいた。靴が血で汚れるのも構わず死体を跨いだ。首から流れ出る血液によって作り出された血溜りの中、水音を立ててスノーホワイトの前に立った。

「チャットでは何回かお会いしたデスね。マジカロイド44デス」

見るからにロボットだ。肌の質感がどことなくプラスチック的で瞳が赤い。背中、足、腰、身体の各所に機械的な、それでいてワンポイントの模様が魔法少女的なパーツを備え、背負った赤いランドセルは、小学生の持つランドセルそのものだった。

「んー。もう少し、こう。吐き気がこみあげるとか、悪寒に包まれるとか、エクスタシーに貫かれるとか。そういう心の動きがあるかと予想をしていたのデスが。嫌悪感は学生の頃に社会見学で豚が解体されるところ見たのと変わらないデス。生理的な嫌悪感というやつデスか」

表情はなかったが声の調子はどこかおどけているようだった。

「人を……魔法少女を殺めるのは初めてデスが、あまり面白いものではないデスね。カラミティ・メアリがあれほど殺したがるのはやはり理解しがたいデス」

マジカロイド44が右手を前に出し、スノーホワイトは腰をひいた。

「見えるデスか？　指先に細い糸がついてるデスが……見えないデスね？　いやいや今日の秘密道具はそれなりに使えるものでよかったデス」

月の光を反射してなにかがキラキラと光っていた。ただしそれがなにかまではわからない。マジカロイド44が右手を振るうと、彼女の右側面にあったコンクリ壁に音もなく五筋の切れこみが入った。スノーホワイトは息をのんだ。

「アナタを殺せばいい……と考えていたデスが」

足元の首を蹴りつけた。マジカロイド44に蹴られた首はスノーホワイトの足元にまで転がった。スノーホワイトはへたりこみそうになるのをこらえた。もし首がスノーホワイトに顔を見せていたらきっと尻餅をついていただろう。首は顔を伏せて地面に転がっていた。

「別の誰かさん殺しちゃったのは予想外デスね。まあアナタにもサヨナラするデスけどね。べつに生きててもらう理由はないデスし。一人より二人の方がカラミティ・メアリが喜ぶかもデスし。人殺しがよっぽど気分悪かったなら自重してもよかったデスけど。でもなんてこたーなかったデスしね。それじゃサヨナラ」

マジカロイド44が右手を振り上げ、同時に金属が打ちつけられる大きな音がした。マジカロイド44は右手を振り上げたままで自分の胸を見下ろした。そこから腕が生えている。何者かが背中から胸を腕で貫いたのだ。信じられないものを見る目で突き出した腕を見ていたマジカロイド44は、腕の持ち主に持ち上げられ、血溜《ちだま》りにびしゃりと叩きつけられた。大量の血がスノーホワイトに向かってはね、もはや白い部分より赤黒い部分の方が多いかもしれない。

ずっとこらえ続けていたスノーホワイトだが、もはや限界だった。喉の奥から悲鳴をあげた。マジカロイド44を刺し貫き、投げつけたのは、先ほど首を切断された黒いアリスだった。首がないままでそこにいた。彼女の首は未だスノーホワイトの足元に転がっている。

自分の悲鳴で目が覚めた。飛び起きた。全身が汗でぐっしょりと濡れている。パジャマが身体に張りついていて気持ちが悪い。パジャマだけでなくシーツやタオルケット、枕カバーまで湿っている。

「小雪ー？　どうしたのー？」

階下からかけられた心配そうな母の声に「なんでもない」と返した。

——夢？

夢だと思いたい。だが、夢にしては現実感がありすぎた。現実にしてはありえないことが起きていた。小雪はふと右手に目をやった。白くふわふわした兎の足を握り締めていた。

『チャット　その4』

ファヴ：えーと
ファヴ：みんなアイテムは使いこなしてくれてるぽん？
ファヴ：なに？　もう前置きとかいらないぽん？　ああそう
ファヴ：今週の脱落者はマジカロイド44
ファヴ：というわけでまた来週
ファヴ：あ、クラムベリーはBGMありがとぽん

第五章　邪魔者にさようなら

スイムスイムの魔法の端末が着信音を鳴らした。たまはもちろん、お喋りなユナエルとミナエルも口をつぐみ、スイムスイムがファヴと話すのにじっと耳を傾ける。二、三の言葉をかわし、スイムスイムは魔法の端末を胸元にしまいこんだ。

「どうしたの？　なにかあったの？」

「シスターナナから連絡をもらった。会いたいって」

「マジか」「ウィンタープリズンは怖いね」「どうするよ」「どうしよう」

スイムスイムはルーラの言葉を一つ一つ思い出していき、目当ての言葉に行き着いた。

《なによりも強い敵はなによりも打ち滅ぼさなければならない敵である》

まともに戦って勝てないほど強いなら、まともに戦わなければいい。スイムスイムは二人の天使に指示を出した。

◇◇◇

学習机の上に白くふわふわした毛の塊が鎮座《ちんざ》している。女の子の部屋ということでぬいぐるみはいくつかあったが、それら先住者とこれは見た目から違っていた。

「これ、なに？」

「商品リストにあった兎の足ぽん。ピンチになると良いことが起きるぽん」

「なんでわたしがこれを持っていたの？」

「誰かが落としたの拾っちゃったとか？」

「誰かって誰？」

「普通に考えてハードゴア・アリスじゃないかぽん？」

「ハードゴア・アリス？」

「不思議の国のアリスの真っ黒いバージョンみたいな子ぽん」

やはりあれは現実に起こったことだったのだ。首を切断されてなお動く魔法少女が脳裏《のうり》に甦《よみがえ》る。スノーホワイトは、こみ上げてくる吐き気を懸命に抑えた。ラ・ピュセルがいなくなってから心が穏やかだったためしがない。ラ・ピュセルのことを思い出し、吐き気と同時に涙までこみ上げてきた。

「なにが起きたって正気失うようなことはないから安心してほしいぽん。魔法少女は精神的にも肉体的にも健《すこ》やかじゃないとやっていけない商売ぽん」

心の中を読み、先んじて逃げ道を封じるかのようなファヴの発言に苛立ちが募る。叫びたい。魔法の端末を叩きつけてやりたい。叩きつけた魔法の端末を踏みしめてやりたい。なのに、唯一の話し相手であるファヴとの会話を打ち切る勇気もない。

ハードゴア・アリス。首から上を地面に落としても平然としていた。悪夢の中でしか見ることができない光景だったが、現実だった。チャットで報告された脱落者の中にも名前がなかったということは、つまり、今も生きている。もし兎の足の持ち主が彼女であるなら、現在はスノーホワイトが所持していることをどう思うか。落し物を偶然拾ったなどという好意的な解釈をしてくれそうには思えなかった。

「これ、返しておいてもらえない？」

「そういうのは直接交渉してもらわないと困るぽん。連絡つけてあげるくらいならファヴにもできるぽん？」

直接顔を会わせるのが嫌だから頼んだのに、こいつは全然わかっていない。それともわかっている上でいっているのか。ひらひらふわふわと風に吹かれて漂っている白黒の球体から染み出しているのは悪意だろうか。それとも無関心だろうか。

スノーホワイトは学習机に突っ伏して泣いた。五分ほど嗚咽《おえつ》とともに涙を流してから顔を上げた。少しだけすっきりした気がする。いっそ気が狂ってしまえればどれだけか楽だろうに。階下からかけられた「小雪ー、ご飯よー」という母からの呼び出しに、「今行くー」と応え、スノーホワイトは椅子から立ち上がった。魔法の端末の電源を切ろうと手を伸ばし、触れようとした直前、ファヴが普段より半オクターブ高い声を上げた。

「あ、今連絡入ったぽん」

「連絡？」

「シスターナナがスノーホワイトに会いたいそうだぽん。どうするぽん？」

魔法少女が魔法少女と顔を合わせる機会はあまりない。

スノーホワイトとラ・ピュセル、シスターナナとウィンタープリズン、トップスピードとリップルのようにコンビでも組んでいれば、嫌でも顔を合わせることになるが、それ以外は先輩後輩として指導を受けるくらいしか機会がない。N市内で魔法少女が活躍するようになってから、複数の魔法少女が協力して事にあたらねばならないほどの大事故大事件はなかったし、魔法少女の縄張り意識は、程度の差こそあれ、皆それなりに強く、わざわざ他所へ顔を出す魔法少女はいなかったからだ。

シスターナナは、故ルーラ曰《いわ》く「親切ぶって他所に顔を出す」ことはままあったが、カラミティ・メアリに撃ち殺されかけてからは没交渉《ぼっこうしょう》不《ふ》干渉《かんしょう》を貫いていた。八名になるまで魔法少女が減り続けるという今回のゲームが始まるまでは。

スノーホワイトはといえば、シスターナナ、ウィンタープリズンと直に顔を合わせたことが一度だけあった。シスターナナがホームから出てこなくなる前のことだ。

スノーホワイトは待ち合わせ時間より早く着いたが、シスターナナとウィンタープリズンはもうそこにいた。ウィンタープリズンは相変わらず格好よかった。魔法少女というよりどこかの王子様といった方がしっくりくる。シスターナナは相変わらず優しそうだった。待ち合わせ場所の、廃業してから数年間放置されているスーパーが、打ち捨てられた修道院のように神々《こうごう》しく見えてくる。

「お久しぶりです、スノーホワイト」

「どうも」

「お久しぶりです！　シスターナナ！　ウィンタープリズン！」

「ラ・ピュセルのことはお聞きしました。本当に……残念でなりません……」

手を握られ、顔を伏せられた。スノーホワイトは目に涙を浮かべた。ラ・ピュセルを悼んでくれた魔法少女がいたことに涙が出たのか、それともラ・ピュセルの死を思い出して涙が出たのか、本人にもよくわかっていない。

シスターナナは顔を上げた。

「このような悲劇をこれ以上増やすことは許されません。我々魔法少女は今こそ団結すべきです。皆で知恵を合わせ、解決策を探しましょう」

目の縁に湛えられていた涙が零れた。シスターナナの手は温かく、握る力は強かった。

ゲームが始まってから、ラ・ピュセルを除き、会う魔法少女が全て敵対的だった。優しい言葉をかけてくれることも、スノーホワイトを必要としてくれることもなかった。彼女達にとってスノーホワイトは獲物でしかなかった。

スノーホワイトは頷いた。

「わたしも協力したい……ぜひ協力させてください！」

「ああ、ありがとうスノーホワイト。一緒に頑張りましょう」

スノーホワイトの大きな瞳から涙が次々に零れ、とろけてしまいそうな視界の中、シスターナナが笑った。涙のせいか、その笑みは歪んでいたが、それでも頼もしかった。シスターナナはスノーホワイトから視線を外し、スノーホワイトの肩越しに後ろを見た。

「あなたはどうされますか？　先日は答えをお聞きする前にお別れしてしまって……」

他の魔法少女とも待ち合わせをしていたのか。スノーホワイトは振り返り、シスターナナが声をかけた方に顔を向けた。真っ黒い不思議の国のアリスがスーパーの入り口から身体を半分覗かせていた。スノーホワイトは口の中で悲鳴を噛み殺し、ウィンタープリズンの背中に隠れた。シスターナナの手を握ったままだったため身体を入れ替えるようにしてもつれ、転びそうになりながらも動作自体は素早かった。

「あのう……お知り合いですか？」

「はい。知り合いです」

スノーホワイトが襲撃された事実を口にする前に、ハードゴア・アリスが先んじて答えた。スノーホワイトはウィンタープリズンの後ろで震えていることしかできない。ウィンタープリズンが怪訝な表情を浮かべたが、シスターナナはスノーホワイトの反応を問題にせず問答を続けた。

「ええと、それで……あなたも協力していただけますか？　ハードゴア・アリス」

「はい。わかりました。協力します」

ハードゴア・アリスの敬語は、アクセントの平坦さ、つまりは棒読みが甚《はなは》だしく、外国語を直訳したような不恰好さがありありと見えた。

「ああ、今日という日はなんという素晴らしい日でしょう！　ありがとうございます！」

シスターナナにとっては言葉に心がこもっているか否かは問題ではなかったのだろう。スノーホワイトに対するのと同じように、ハードゴア・アリスに駆け寄り、その手をとり、上下に振った。

スノーホワイトは間違ってもハードゴア・アリスと二人きりにはなりたくなかった。しかし、シスターナナがやたらと嬉しそうに「志を同じくする四人の仲間」と繰り返すせいでい出すことができず、「今日は他の魔法少女に会う予定もあります。まだまだ仲間が増えるかもしれません」と嬉しそうに話すシスターナナを引き止める理由も思いつかず、結局なりたくなかった状況「ハードゴア・アリスと二人きり」になってしまった。

別れの挨拶をもごもごと口にし、立ち去ろうとしたのだが、振り返るとハードゴア・アリスがついてきている。曖昧な笑みを浮かべて頭を下げ、早足で歩き、角を曲がり、振り返るとまだいる。ぞっとした。

さっきまで大人しかったのはシスターナナとウィンタープリズンがいたせいか。二人がいなくなった今は猫を被る必要もないと襲いかかってくるつもりか。スノーホワイトは身構えたが、ハードゴア・アリスは粘性の強い視線をスノーホワイトに向けたまま動かない。

――あ、そういえば。

スノーホワイトは思い出した。ポケットに手を突っこむと指先が柔らかな毛に触れた。兎の足を取り出し、ハードゴア・アリスのほうに掲げた。

「これ、あなたの？　ええと、盗ったとかそういうのじゃなくて気がついたら持ってたんだけど」

事実を並べただけなのに、まるで言い訳のようになってしまった。スノーホワイトは兎の足を差し出しながらも腰が引けている。

「違います」

「え？　そうなの？」

「それはあなたのものです」

「ち、違うよ。わたしはこんなもの持ってなかったもの」

「私が、あなたに、スノーホワイトにあげたから、あなたのものです」

「え？　なんで？　なんであなたがわたしにくれたの？」

ハードゴア・アリスはガクンと小首を傾げ、スノーホワイトはビクッとした。また首が落ちるかと思った。あの夜、マジカロイド44に、首を切断されたのはなんだったのだろう。今見ると、首には傷跡も包帯もない。彼女の魔法と考えるのが自然なのだろうが、首を切断されても死なない魔法だなんて無茶苦茶だ。

「気が向いたから」

「えっ」

「気が向いたから、あげました」

「それってどういう」

ハードゴア・アリスは聞き返したスノーホワイトを見て小首を傾げた。

「気が向いたから」

昨日までのハードゴア・アリスは理解しやすい恐怖だった。血に染まり、死体となっても動く怪物だった。今日のハードゴア・アリスは……小首を傾げてスノーホワイトを見ている魔法少女は、全く理解できない恐怖として立ちはだかっている。

◇◇◇

広場中央の大噴水は単調なリズムで水を噴き上げていた。もはやライトアップされることも軌道《きどう》が変化することもない。先刻までの煌びやかな水の芸術が嘘のように、ただ機械的に、実際機械だが、水を放出し続けている。噴水周囲のベンチに座っていた観客も、一人、また一人と席を立つ。噴水のライトアップが終了したことを意味していた。

リップルは舌打ちをした。

月に一度、十五日、午後十時からN市中央公園の広場で噴水のライトアップが行われる。大変に美しく、月に一度しか見ることができないというレア感が伴い、さらに季節ごとに様々な変化を見せる——たとえば四月は桜色がメインだったり、八月は打ち上げ花火のように飛び散ったり——とあって、見物に来る市民は数多い。

人間が増えるということはそれだけ揉め事が増えるということでもあり、魔法少女の仕事もあるだろう。さらに人目があるため他の魔法少女から襲われるということもないはずだ。

トップスピードは得意げに自説を語り、なるほどもっともかもしれないと思ったリップルもそれに従い、去年の夏に完成した公園内多目的ホールの屋根から並んで広場を見下ろしていたのだが、揉め事も厄介事も一切起こらず、色鮮やかな噴水を楽しみにきた人々は粛々《しゅくしゅく》と帰っていく。人が集まり始める前に、空き缶やコンビニ弁当の空箱、割れガラスを片付けたのが、唯一の仕事になってしまった。

これが城南地区なら騒ぎになっていただろう。漁師や職人の気質を残す倶辺ヶ浜や木挽町でも喧嘩の一つや二つはあったかもしれない。だが中宿ではそのようなことはない。そこが中宿の中宿たるところであり、リップルとしてもけして嫌いではなかったが、今起きて欲しいのはなにより揉め事だ。

リップルは舌打ちをした。平和を喜ぶべきなのかもしれなかったが、これではキャンディーが手に入らない。

「いやーなにも起こらずよかったよかった」

「よくない……」

「ん？　なにかいった？」

「べつになにも……」

「しかし綺麗だったねぇ。今日は月も出てねーからこっちまでピカピカ光るのが見えたしさ。こんなこったら酒でも飲みながら見物してやりゃよかったかもしれんね」

リップルはタッパーに手を伸ばし、筍《たけのこ》を指先で摘まんで口の中に放りこんだ。トップスピード本人は苛立たしいが、トップスピードの作ってくる料理は今日も美味い。この筑《ちく》前煮《ぜんに》は芯の芯まで出汁《だし》が染みこんでいる。

「酒は無理……」

「なんでさ？」

「未成年……」

「えっ、それって魔法少女としてってことじゃなくガチで？　リアルで？　っへぇー！　見えねー！　リップル、リアルだといくつよ？」

「十七……」

「マジで？　俺、十九」

リップルが正しい知識を有しているのだとすれば、この国では十九歳は成年と見なされていないし、当然飲酒も許されていない。リップルは舌打ちをした。

「年下だったとはなー。タメか上だと思ってたわー」

年長者相手だと思っていながらあの態度とあの言葉遣いだったのだろうか。リップルは舌打ちをし、筑前煮に手を伸ばした。次は里芋。美味い。

「学校は楽しい？」

「普通……」

「友達とは仲良くやってる？」

「友達はいない……」

「家族は？」

「いない……」

「なんかさー。俺も十七の時分にはそんな感じだったわ。他人事なのにデジャヴ感じるっつーの怖いよね」

相手が年下であると知った瞬間から無駄に年長者として振舞《ふるま》おうとする人間は少なくない。本当に無駄だとリップルは思っているが、トップスピードには伝わらなかった。

「でもリップルのが素直だな。聞かれればきちんと答えてくれんもんな。俺が十七の頃はもっとこう尖ったナイフっつーか触る者皆傷つけたっつーか、今はもう丸くなったけど」

リップルは舌打ちをした。

「リップル、リップル」

魔法の端末から甲高い合成音が発せられた。ファヴは自発的に魔法の端末の電源をオンにし、立体映像が浮かび上がった。

「ちょっとお話あるけどよろしいぽん？　カラミティ・メアリが会いたいって。明後日の午後十一時に中宿のホテルプリーステスで待ってるそうだぽん」

リップルはトップスピードを見、トップスピードはリップルを見た。

「いやリップルさんさ。そんなに嫌そうな顔しなくてもいいっしょ」

どうやら嫌そうな顔をしていたらしい。確かに嫌だ。すごく嫌だ。銃口を突きつけられた時の恐怖は数ヶ月経った今でも薄らいでいない。夢の中でカラミティ・メアリに銃殺されたことも一度や二度ではない。

「パス……」

「いやパスって。気持ちわかるけどさ。でも行かなきゃ行かないですっげー面倒くさいことになったりしない？　半年だけでも生き延びたいっていう俺のささやかな願いが叶わないことになりそうで、すんげー嫌なんだけど」

「いい加減……」

「ん？」

「なぜ半年なのか教えてくれていい……」

「あー……」

「ちょっと、リップルリップル」

立体映像の中ではファヴが激しく羽ばたいていた。リンプンが飛び散り映像内が黄色い靄《もや》に包まれているかのようで、ファヴの姿もうっすらとしか見えない。

「カラミティ・メアリは『大事な用事』だって」

リップルはトップスピードを見、トップスピードはリップルを見た。

「だからそんなに嫌そうな顔しないでってば」

リップルは舌打ちをした。

◇◇◇

ルーラがカラミティ・メアリを意識していたことは、スイムスイムでなくたまやピーキーエンジェルズも知っている。意識という生易しい言葉を使わないのなら憎悪といっていいだろう。ルーラにとってのカラミティ・メアリは敵で邪魔者だった。

ルーラはカラミティ・メアリをそう認識していながら手を出さなかった。キャンディーの奪い合いが始まってからも、最初に手出ししたのはカラミティ・メアリではなく、スノーホワイトだった。ルーラはカラミティ・メアリを忌《い》み嫌っていると同時に恐れてもいた。

なぜ嫌っていたか、恐れていたか、スイムスイムの知るところではない。ルーラもカラミティ・メアリもスイムスイムが魔法少女になるずっと前から魔法少女だったから、以前になにかがあったのだろうと予想はできるが、実際になにがあったかはこれから先もきっと知ることができないと思う。

今のスイムスイムにわかるのは、カラミティ・メアリはルーラという強力な魔法少女にとってさえ手出しし難い恐るべき魔法少女であったということと、カラミティ・メアリと対等に渡り合ったというウィンタープリズンも、同等の実力を有しているのだろうということだ。

ウィンタープリズンがカラミティ・メアリと戦い、シスターナナを守りきったという話は市内の魔法少女なら誰でも知っている。シスターナナが、ウィンタープリズンはこんなにも強いのだとチャットで自慢げに吹聴《ふいちょう》していたからだ。

スイムスイムにとって憧れると同時に越えるべき魔法少女がルーラ。

そのルーラが恐れた魔法少女がカラミティ・メアリ。

カラミティ・メアリと互角に戦ったのがヴェス・ウィンタープリズン。もうすぐここを訪ねてくる魔法少女でもある。

ウィンタープリズンに勝てばカラミティ・メアリにも勝てるだろうか。そういう単純なものでもないだろう。だが勝てないよりは絶対に勝てる方がいい。ルーラはきっとそう考える。

待ち合わせ場所は王結寺にした。自分達の本拠地ともいえる場所を待ち合わせにするということは、今日この場で決着をつけなければ拠点を失うということになる。だがそれだけのリスクを背負ってでも舞台を王結寺にしたかった。勝手知ったる場所なら罠を仕掛けるのも容易《たやす》く、いざ戦いになればこちらに地の利がある。

といってもそれほど難しいことをするわけではない。ルーラは難しいことを好まなかった。作戦を立てるならなるだけ単純に、といっていた。

スイムスイムは明かりとりの窓から外を見た。障子越しにうっすらと庭の様子が透けて見える。なにか動いているものがいるのは虫だろうか。絶えず鳴いている秋の虫か、その秋の虫を目当てにやってきた肉食昆虫か。ウィンタープリズンと自分達、いったいどちらが食べる側で、どちらが食べられる側だろう。

シスターナナの到着はすぐに知れた。虫の声が止まったからだ。静かになった寺の中で板が軋む音が二組。扉の軋む音がそれに重なり、入り口から二人の魔法少女が顔を見せた。

スイムスイムはかすかに眉根を寄せた。シスターナナが前に出ている。位置が悪い。

「お久しぶりですスイムスイム。先日はキャンディーの贈り物をいただきありがとうございました」

スイムスイムは無言のまま立ち上がった。シスターナナの背後から緊張を感じる。正確にはシスターナナの背後にいる人物から。シスターナナは緊張感とは縁遠い上機嫌な笑顔を浮かべている。

「ほんのついさっき、スノーホワイトとハードゴア・アリスからも協力していただけるというお返事をいただきました」

スイムスイムは一歩近づいた。ウィンタープリズンは動かない。さらに一歩。もう一歩。

ウィンタープリズンがシスターナナを庇うように前へ出た。そう、そこがいい位置だ。

「ゴー」

スイムスイムの合図と同時に、ウィンタープリズンの背後でシスターナナの悲鳴が上がった。ウィンタープリズンはスイムスイムを注意しながら後ろを振り返り、その表情が凍りついた。シスターナナがシスターナナを指差し震えている。シスターナナが二人いた。片方のシスターナナが、指を差しているシスターナナを押しのけてウィンタープリズンにすがりついた。情報を整理しきれなかったのだろう。ウィンタープリズンは呆然とシスターナナを正面から抱き止め、短剣で胸を刺し貫かれた。

胸を刺されても、ウィンタープリズンは未だ混乱していた。

シスターナナが二人。一人は悲鳴を上げ、一人は笑っている。一人は涙を流し、一人は血のついた短剣を手にしている。短剣を持った方のシスターナナがウィンタープリズンを蹴りつけて距離をとり、ぐにゃりと変形した。同時にシスターナナの握った短剣もまた変形する。折れ、曲がり、伸び、縮み、変色し、千変万化《せんぺんばんか》を見せた後、シスターナナと短剣は、二人の天使に変身していた。天使達は邪悪な喜びを隠そうとせずに笑っている。なぜシスターナナが二人いたか、その理由を理解した。ちっぽけな短剣でウィンタープリズンの強靭な肉体を刺し貫けた理由も理解できた。

ウィンタープリズンも笑った。血を吐いて笑った。敵の愚かさをせせら笑った。なぜ変身を解除したのだろう。変身したままでいれば、ウィンタープリズンがシスターナナを——たとえ偽者だとわかっていたとしても——攻撃できるわけがないのに。天使が化けた魔法の短剣はウィンタープリズンの心臓を傷つけた。出血は激しい。息ができない。意識が薄れていく。だが、まだ、あと数秒間は死なない。死ぬ前になすべきことがある。ウィンタープリズンはシスターナナに「逃げろ！」と叫び、魔法を行使した。床板を割り、幾枚もの土壁が床下からせり上がった。一枚、二枚、三枚、四枚、五枚、六枚、七枚、八枚。壁はもうもうと土煙を巻き起こし、天井まで届き、天使達を閉じ込めた。牢獄だ。

ウィンタープリズンは一歩で間合いを詰めた。左手を硬く握り締め、土壁に向けて突き出した。ウィンタープリズンの拳は、土壁を砕き、同時にその向こうにいた小さな天使の体を打ち潰した。

天使はもう一人いる。短剣に変身していた方の天使が。

ウィンタープリズンは、右手の手刀を振るって残った天使の首筋を切り裂こうと試みた。躊躇なく振るわれた手刀は、左手で殴られた天使からの激しい返り血が目にかかったことと、ウィンタープリズンの心臓から流れ出る血液がいよいよ盛大になったことで、微妙にタイミングを外した。攻撃目標に牢獄の中でしゃがむ余裕を与え、そのせいでウィンタープリズンの手刀は土壁の上半分を破壊するに留まった。ウィンタープリズンはもう一度攻撃を加えようとしたが、急に足元に穴が開いてバランスを崩し、スイムスイムの攻撃で右手を切断された。

ウィンタープリズンは飛んでいく右手を見送った。あの手で、あの指で、シスターナナの髪を梳《す》いたこともあった。シスターナナの気配はすでにない。逃げてくれたようだ。力が抜けていく。どうかどうか無事でいてくれ。最後にそう祈り、ウィンタープリズンは膝をつき、頭《こうべ》を垂れた。

◇◇◇

ミナエルが鋭い短剣に変身し、ユナエルがそれを持った上で透明外套を羽織る。シスターナナが来た時を見計らい、ユナエルはシスターナナに変化する。化けるためのモデルが目の前にあれば変身は完璧だ。変身したところで透明外套を脱ぎ捨て、ウィンタープリズンの前に姿を現す。

カラミティ・メアリとのエピソードから察するに、ウィンタープリズンにはシスターナナを守ろうという意思がある。護衛対象が二人になり、その一方から攻撃されればウィンタープリズンは間違いなく混乱する。

という作戦はウィンタープリズンを刺殺《しさつ》するところまでは成功したが、反撃によりユナエルが命を落とし、目にも留まらぬ速さでシスターナナが逃げたことにより、成功は成功でもなんでもなくなった。

ミナエルが大学生くらいの女性の死体に取りすがって泣き喚《わめ》いている。ユナエルの変身前の姿だ。たまはその横でしゃくりあげていた。

「ユナは……ユナは最後に私を助けてくれたよね」

「うん、うん」

「ユナは、ユナは……」

「うん……」

スイムスイムは自《みずか》らの無力さを痛感した。ルーラならきっともっと上手くやれていたはずだ。まだまだルーラには及ばない。この失敗を次に活かさなければならない。

◇◇◇

アルコールが万能薬として働いてくれた時期は長くなかった。金銭的な問題、酩酊《めいてい》が抜けた後の倦怠感《けんたいかん》、不平たらたらの亭主、これらがアルコールを万能薬たらしめなかった。不満の捌《は》け口は娘になった。しつけと称して蹴り、殴り、煙草の火を押しつけ、食事を抜く。時にはアルコールと組み合わせることで素晴らしいストレス解消になったが、甲斐性無しの亭主は娘を連れて家から出ていった。

娘をいじめて楽しかったのは、自分が弱かったからだ。弱いからこそより弱い者しかいじめることができず、それは娘だった。本来求めていたものではなく、代替品に近い。

本当はもっと強い者をいたぶりたかった。暴力のプロを自称し、肩で風を切って歩くヤクザ者の命乞いは、娘の比ではない快楽をもたらしてくれた。

強い者、偉ぶった者、美しい者、賢い者、自信に満ち溢れた者。上にいるはずの者が、抗《あらが》いようがない暴力に辱《はずかし》められたその瞬間、見せてくれる表情！　あれがあるならアルコールは必要ないとさえ思う。

黒檀の小机の上にコンパクトを置いた。小さな鏡の中に女がいる。三十九歳。もうすぐ四十。くたびれた中年女のテンプレートのような姿に笑みが零れた。

右肘と左肘を同時に曲げ、顔を撫でるように左右へ、同時に叫ぶ。

「カラミティミラクルクルクルリン！　魔法のガンマン、カラミティ・メアリにな～れ！」

鏡の中にくたびれた中年女はもういない。左太股にホルスター。胸には保安官バッジ。左目下に小さなほくろ。テンガロンハットの下は腰まで届く豊かな金髪。ビキニそのままの露出度が高いトップスでぎりぎり隠されている豊満なバスト。露出の限界に挑んだミニスカート。柔らかな太股、すらりと伸びた脚、その下は拍車つきのウェスタン・ブーツ。形のよいヒップをつんと上げ、ポーズを決めた。鏡の中には見目麗《みめうるわ》しい魔法少女がいる。

変身に呪文やポーズは必要なかったが、カラミティ・メアリが幼少時に視聴していた魔法少女もののアニメではそれがないと変身できなかった。ならば自分もやるべきだろう、そう考えた。深い理由があるわけではない。

カラミティ・メアリは自分の役割を理解している。自分の役割に満足もしている。魔法少女という「なによりも強く立派な存在」を辱め、蹂躙《じゅうりん》することができるのだから。カラミティ・メアリは、大切な道具がたっぷり詰まった四次元袋をガンベルトに吊るした。

店を出てから十分後。ファヴにリップルを呼び出すよう命じ、カラミティ・メアリ自身も、待ち合わせ場所であるリップルの担当地域、中宿にいた。午後十時四十分。もうすぐ約束の時間だ。

中宿には通称「上道」と呼ばれる国道X号線が通っている。呼び名の通り、地面から見て十メートルは上を通る国道は、速度制限が一般道にしては緩く、取締りも年末以外はほとんどないため、制限速度を超過した自動車が飛び交うように行き来していた。

カラミティ・メアリは市内最大の宿泊施設であるホテルプリーステスの屋上から国道を見下ろしていた。頬にあたる風は強く空気が冷たい。テンガロンハットを持っていかれそうになり、深く被りなおした。風の強さは狙撃の際にはマイナス要因になる。

しかしカラミティ・メアリの魔法は、ただの武器を「魔法の武器」に変えてしまう。威力、弾速、正確さ、射程、全てが大幅に上昇し、どんなに風が強くともものともしない。ついでに使いやすく、整備もたやすくなる。カラミティ・メアリは、四次元袋から銃を取り出した。

ドラグノフ。旧ソ連製の狙撃銃。肉抜きによる軽量化で持ち運びが容易くなっている分、反動が大きくなり扱い難さも増している。だが魔法少女には関係ない。無造作に構え、撃った。セミオートモードはオフにし、一発一発を手早く、だが丁寧に車へと撃ちこむ。速射性こそが、市街戦を想定して設計されたドラグノフの売りだ。

爆発、炎上。上道を走る自動車が、次々に破壊されていく。炎に包まれたタイヤが転がる。前を走る車が突如燃え上がり、後続車がそこに突っこむ。その後ろも、さらにその後ろも。運よく玉突き事故から逃れた車も、あらためてドラグノフで丁寧に破壊する。夜の国道が、昼間のように明るくなった。

車を止め、慌てた様子で中から飛び出した男がいたので、戯《たわむ》れに撃ってみた。内臓が吹き飛ぶ様を思い描いていたが、さにあらず、爆発というより消滅といった態《てい》で膝頭から下を残して消え去った。

狙撃銃は対人兵器として威力があり過ぎる。面白みがない。やはり撃つべきは人間よりクルマのほうがいい。

そして、クルマより魔法少女のほうがいい。

リップルに直接攻撃をしかければ、トップスピードが邪魔をする。トップスピードが全力で逃げれば、カラミティ・メアリには追いかける方法がない。リップルと戦いたいならリップルに戦う理由を与えてやるべきだ。無辜《むこ》の市民に危害を加え、街を破壊するような悪人がいれば、魔法少女はそれを倒すために現れる。それがあるべき姿だ。

リップルを嫌な気分にしてやり、自分は気分が良い。一石二鳥だ。さらにリップルを屠った後は助けを求める人で満ちている。キャンディーを稼ぐのにも都合がいい。

カラミティ・メアリは弾倉が空になるまで引き金を引き続け、国道上の全てを破壊し尽くした。

きっかけはほんの些細な行き違いだった。初対面でリップルが頭を下げていれば、そこで手打ちになって終わっていただろう。だがリップルは頭を下げず、カラミティ・メアリに執着された。全てリップルが悪い。

カラミティ・メアリは、自身を恐れない者を許さない。

第十六章　マジカルキャノンガール

魔法の端末には燃え盛る国道が表示されている。

「大変だ……助けに行かないと！」

「私もスノーホワイトについていきます」

「そ……そうだね！　一緒に行こう！」

◇◇◇

魔法の端末には燃え盛る国道が表示されている。

「どどどどうしよう！　助けにいかなきゃ！」

「救助は他の魔法少女に任せる」

「えっ……でも」

「私達は救助にきた魔法少女を襲う。たま、ミナエル、急いで準備を」

「えっ、えっ、えっ」

◇◇◇

魔法の端末には燃え盛る国道が表示されている。

「あれ？　マスターってば行かないぽん？　行けばきっと楽しいとおもうぽん」

「それはそうなのかもしれませんが」

「なんか歯切れ悪いぽん？」

「私の歯切れなんてものはどうだってよろしい。それよりウィンタープリズンが殺されたというのは本当ですか？　誰に殺されたのですか？」

「いなくなったライバルよりこれからのことを考えるべきだと思うぽん」

「だって気になるじゃないですか」

◇◇◇

ビルの上から国道に向けて銃を構えるその姿が目に入った瞬間、頭の中が沸騰《ふっとう》し、脊髄反射で箒の上から飛び降りた。トップスピードがなにか怒鳴っていたようだが耳には入らない。

「遅ェよ、お嬢ちゃん」

ライフル銃を投げ捨て、腰のホルスターから拳銃を抜きつつ、カラミティ・メアリが着地したリップルに向き直る。下界で燃え盛る国道の炎が背後から照らし、そのせいで目元が影に隠れ、どんな目でこちらを見ているかはわからない。口元はよく見えた。白い歯が光っている。

拳銃の弾丸が発射され、リップルは逆手に握った刀でそれを夜空へ弾いた。さらに連射されたが、それもまた弾いた。以前銃口を突きつけられた時には感じた恐怖感は、煮え滾《たぎ》る怒りによって塗り潰されている。

カラミティ・メアリは左手でも拳銃を抜いた。二丁に増えた拳銃が弾丸を連射する。リップルは二倍に増えた弾丸を流し、あるいは避けた。銃弾は重く、速いが、リップルなら軌道《きどう》は読める。そしてリップルの振るう刃は弾丸より速い。

カラミティ・メアリが拳銃を捨てて腰に提げた袋へ手を突っこんだ。リップルは駆け抜けざま、敵の頸動脈《けいどうみゃく》目がけて逆手に握った刀で斬りつけた。

火花が散った。鋼《はがね》のぶつかり合う耳障りな音が刀から伝わってくる。リップルは振り返り、身構えた。カラミティ・メアリは、小脇に一メートルほどの自動小銃を抱えていた。銃口の先には刃渡り三十センチほどの銃剣が取りつけられている。

この銃剣でリップルの刀を捌《さば》いたのだ。

「トカレフだけでどうにかなるお嬢ちゃんじゃないわなァ」

リップルは跳び、横合いから斬りつけたが、またも銃剣に止められ、跳ね除けられた。道路標識だろうとコンクリ塊だろうと容易に切断するリップルの刀が、カラミティ・メアリの銃剣には通用しない。これもカラミティ・メアリの魔法で武器が強化されているからなのか。

――だからどうした。

リップルは獣のように吠《ほ》えた。

脚に力をため、現在でき得る限りの最速の斬撃で胴を薙《な》ぎ払った。止められた。軸足を移して突きに転じた。これも止められた。跳び退きながら手裏剣三段撃ちで攻め立てるがその全てを銃剣に阻《はば》まれる。体を左右に振り、フェイントから懐《ふところ》に入りこむ。肋骨《ろっこつ》の間に刀を突き立てようとした瞬間、鼻面《はなづら》に焼けつく高熱を感じて吹き飛ばされた。自動小銃の銃尻による打撃を顔面に受けたのだ。追撃の銃弾は転がって回避し、鼻から血が迸《ほとばし》るに任せたまま、再び距離を詰めるべく正眼に構えた。

対象までの距離はおよそ十メートル。弧を描く動きで右側から回りこむ。一歩、二歩、三歩、まで歩を進めたところでカチリと音がした。足元からだ。リップルは動きを止めた。よくよく見れば自分が踏んだコンクリートがわずかに沈みこんでいる。なにを踏んだか気づき、リップルの背筋に怖気が走った。

「ははは……ひゃはははははは！」

カラミティ・メアリは笑っていた。

「ほらほら、足ィ離してみなよお嬢ちゃん！　いつまでもそこに立たれちゃ迷惑千万《せんばん》！　地雷と一緒にお陀仏《だぶつ》しときなァ！」

自動小銃が火を噴いた。リップルは右足を地面から離すことができない。離せば地雷が爆発する。ただの対人地雷ならば魔法少女に傷一つつけることはできないが、これはカラミティ・メアリが仕掛けた魔法の地雷だ。

片足を固定したままという不自由な体勢のリップルに、自動小銃の掃射《そうしゃ》が襲い掛かった。

リップルは袖口に仕込んである小刀を抜いた。一本目の半身ほどしかない脇差サイズの忍者刀だ。だが受けに徹するなら大刀より使い勝手は良い。二本の刀で次々に飛来する弾丸を弾き、流していく。リップルが致命傷を受けるより早く、小銃の弾倉が空《から》になった。

カラミティ・メアリが引き金を引いてもカチカチというだけで弾丸が出てこない。

カラミティ・メアリは自動小銃を投げ捨てた。

「カラミティ・メアリに逆らうな」

袋の中に手を突っこんだ。中から取り出したものは全部で八つ。

「カラミティ・メアリを煩《わずら》わせるな」

深緑色の球状で一つ一つにピンがついていた。カラミティ・メアリはピンを指にかけ、外すと同時にリップルへ向けて投擲《とうてき》した。

「カラミティ・メアリをムカつかせるな」

カラミティ・メアリは、柵の向こうにひらりと身を落とした。魔法少女であればビルの屋上から飛び降りたとしても問題はない。対するリップルは逃げ場を失った。足を外せば地雷が爆発し、待っていれば手榴弾《しゅりゅうだん》が爆発する。

空間が爆《は》ぜた。

ぐい、と、体が空中に持っていかれる感覚があった。横からの衝撃に腰が折れそうに曲がった。炎に髪を撫でられ毛先が炙《あぶ》られた。手榴弾八個と地雷一個。それだけの爆発をはるか後方に置き去りにして、リップルは空を飛んでいた。

「無茶すんな！」

身を捻り、自分の身体を支えている者の顔を見た。そこには怒っているトップスピードがいた。

手榴弾が爆発する直前に、猛スピードでかっ飛んできたトップスピードが横合いからリップルを掻《か》っ攫《さら》った。同時にリップルの足が地雷から離れて起爆したが、ラピッドスワローの飛行速度は爆発の衝撃さえも振り切り、結果としてリップルの毛先が少々焦げる程度ですんだ。

　リップルはトップスピードの肩を掴み、箒の上で身体を一回転させて後部座席に尻をおさめた。その折、夜空で煌々《こうこう》と輝く下弦の月が目に入った。白く輝く歯だけ見せて笑うカラミティ・メアリを思い出し、リップルは奥歯を噛み締めた。

「絶対にここで仕留める」

「ヤクザモンみてーなこといっててんじゃねーぞ。ここは退いとけ」

「なんであいつがここでテロ行為してたか知っててていってるの？　これは私に対する嫌がらせだ。私がこの町を放っておけないってわかってるからだ。私が死ぬか他に邪魔が入るまで、あいつはあそこで狩りを続ける。私は」

　一息ついた。リップルがなぜ戦いたいのか。それは怒っているからだ。腹が立つからだ。リップルが細波華乃だった頃から、あらゆる動機はほぼ全てが怒りだった。なぜ怒っているのか。カラミティ・メアリにむかついているのか。

　のんびりとした中宿の気風は、リップルとは水と油だと思っていた。しかし、今、中宿で起きていることを思うと腸《はらわた》が煮えくり返る。

「世界中の人間を救いたいわけじゃないし救えるとも思ってない。でも中宿の人達を……仮に通りかかっただけの人だとしても、見捨てて逃げたらもう魔法少女じゃない」

　リップルはトップスピードの腰に回した手に力をこめた。かつて憧れていた「正しい魔法少女」の姿が脳裏に浮かんだ。

「私は魔法少女だ」

トップスピードは言葉に詰まったようだった。しばしの時間を置いてから、ふっと息を吐いた。ため息とも単なる呼吸とも違う。

「ああそうかい」

顎先を下げ、右手でとんがり帽子の庇を押さえた。

「偉そうにいうじゃねーか」

箒の推進が段々と小さくなり、やがて消えた。

「リップルがそんなに喋るの初めて見たわ」

苦笑混じりでそういった。

「ただちょっと言葉の足らんとこがあるね」

機首が空中で百八十度ターンした。リップルは落とされないようトップスピードの腰にしがみついた。トップスピードは小揺るぎもしていない。

「俺だって魔法少女だ」

箒の両脇からせり出した推進装置《ブースター》に炎がともり、急発進した。トップスピードのコートがはためく音、それに風を切る音を加え、劈《つんざ》きで耳が壊れそうになる。流線型の風防が風の壁を切り裂き音を後ろに置いていく。箒に乗った二人は、風防に隠れるように姿勢を低くした。

魔法少女の優れた視力はホテルプリーステスを捉《とら》えていた。屋上は無残に破壊され、最上階が露出していた。そこかしこで炎が燃え、煙が立ち昇っている。鉄骨が飛び出し、床は瓦礫《がれき》と残骸で埋め尽くされていた。リップルは最上階に宿泊客がいなかったことを祈った。

殊勝《しゅしょう》な祈りは敵の姿を見るなり吹き飛び、怒りのボルテージが一気に振り切れた。崩れたホテルの壁に立ち、こちらを見ている者がいる。カラミティ・メアリだ。両手で一挺ずつ自動小銃を持ち、こちらに向けて撃ってきた。

魔法少女の優れた動体視力は弾丸の一発一発まで余すことなく視認していたが、それらのほとんどは風防に弾かれ、残りはかすりもせずにすれ違って後方へ消えていった。超音速飛行にも耐えられるだけあり、ラピッドスワローの風防は恐ろしい強度を誇る。カラミティ・メアリは何事かを叫んでいたようだが、風の音に邪魔され、リップルにはなにをいっているかわからなかった。

カラミティ・メアリに向かって、ラピッドスワローが一直線に突っこんだ。

壁を突き抜け、床を抉り、衝撃波により炎、煙、絨毯、ベッド、重そうな瓦礫、全てを巻き上げながらフロアを横断し、ホテルから十キロほど離れてターンした。音が後からやってきた。衝撃波によって巻き上げられた瓦礫の山が落下、Ｉの字型に抉《えぐ》り取られたホテル最上階の傷跡を埋めた。

リップルはしっかりと見ていた。カラミティ・メアリは直撃を避けた。到達するぎりぎりまで引き金を振り絞っていたが、どれだけ命中しようとラピッドスワローの装甲を削るのは無理と見たか、身を翻し、瓦礫の山にダイブした。

ホテルの方角から闇より黒く密度が高くドロドロに粘っこい殺気を感じた。視認してしまえそうなくらい色濃く感じる。ガラリ、と瓦礫の山が崩れ、人影が姿を現した。

「生きてんな」

「そうだね……」

「よーっし！　もっぺん行くぞコラ！　しっかり掴まっとけ！」

推進装置に再点火し、装甲箒はホテルのカラミティ・メアリ目がけて飛んだ。カラミティ・メアリは袋から銃を取り出した。拳銃とも自動小銃とも違う。狙撃銃だろうか。銃身が長い。銃身だけで一メートル……全長なら一メートル五十？　もっとあるか？

カラミティ・メアリは銃口をこちらに向け、唇を歪ませた。笑っている。リップルはぞっとした。この感覚は地雷を踏んだ時と同じだ。

「避けて！」

叫ぶと同時に前へと身を乗り出し、トップスピードのとんがり帽子、その中身を掴んで全身の力と体重を乗せて押し倒した。ラピッドスワローの軌道が急激に折れ、目標から右下方にずれた。ブースターが反転し、逆方向へ炎を吹き出すが間に合わない。ホテルの壁を、続いて床を貫き、急な方向転換の代償か、のたうつ蛇のように右へ、左へ、最終的には数キロ離れたビルの屋上に着地した。

ビルとはいえホテルプリーステスとの階差は相当にある。着地というよりほとんど突き刺さる形で屋上に激突した。砕けたコンクリの破片がパラパラと舞い落ち、細かな粒子は煙状になってたなびいた。

「なーにしやがる！」

当然の権利として怒鳴ったトップスピードに対し、リップルは風防の上部を指差した。

「これ、見て……」

「あん？」

風防の上部がよじれ、切れ飛んでいた。無数の弾丸を受け止め、音を置き去りにする速度でコンクリートにぶつかっても傷一つなかった風防が無残に破壊されている。

「なんだこれ？」

「さっきの弾丸がかすった……」

リップルに頭を押さえつけられていたため、トップスピードは見ていなかったはずだ。カラミティ・メアリの狙撃銃から放たれた弾丸は、狙い過たず風防を直撃するはずが、突如軌道が変化したために風防の上部をかすめるだけに終わった。しかしかすめただけで風防がよじれて切れ飛んでいる。直撃していれば中の二人ごと貫通していただろう。

「なんでだよ！　あいつの豆鉄砲なんざ全然通用してなかったじゃねーか！」

「銃の種類が違ってた……」

弾丸の速度もこれまでのものとは一線を画していた。引き金を引かれる前に軌道を変えていなければ、まず避けることはかなわなかっただろう。直撃し、木っ端微塵《こばみじん》になっていたはずだ。

トップスピードはラピッドスワローを手に立ち上がった。服の汚れを払い、とんがり帽子を被り直し、忌々しげにホテルプリーステスを睨みつけた。

「くそったれ！　もっぺんいくぞ！」

「同じことしても……撃たれて死ぬだけ……」

「じゃあどーすんだよ！　俺は真正面からぶち当たる以外のことはできねーからな！」

「私も、それしか無理……」

「だったら！」

リップルは真正面からカラミティ・メアリに攻撃しかけ、爆殺されかけた。

トップスピードは真正面から突撃し、撃ち殺されかけた。

一対一でカラミティ・メアリに力が及ばなかった。

生き残ったのは運が良かったからだ。同じことを繰り返せば今度こそ死ぬだろう。

「次は……」

「次は？」

「やっぱり、正面からいく……」

◇◇◇

カラミティ・メアリの魔法は「武器に魔法の力を宿す」というものであるため、ゼロから武器を作り出すことができるわけではない。元となる武器を用意しなければならない。ドラグノフ、トカレフ、AK、そしてこのKSVKアンチマテリアルライフル。全てロシア、もしくは旧ソ連製であり、西部開拓史時代のガンマンをモチーフとしたカラミティ・メアリに相応しい銃かと問われれば疑問符がつく。

できることなら全てアメリカ製で揃えたかったが、中米の麻薬密売組織経由で手に入れた武器の数々は、横流し元が大変に偏《かたよ》っていた。

手に入れた当初こそ抵抗がないではなかったが、今となっては愛いやつらだ。カラミティ・メアリはマズルブレーキに舌を這わせた。鉄の味がした。

KSVKの一撃は敵機をかすめるにとどまった。惜しかったが、かすっただけでもなにかしらのダメージはあっただろう。煮え立った頭で威力を充分に理解したはずだ。

真正面から策もなく突撃するだけでは殺されるだけだと思い知ったリップルとトップス

ピードは、次にどんな選択をするか。一対一で勝てないと見た者は数の有利を頼りにする。おそらくトップスピードは真正面から来る。しかしKSVKの威力を存分に意識したその突撃は、速度威力ともに大幅に減じているだろう。そちらは本命ではない。右か、左か、背後か、トップスピードとは別の方向からリップルが襲いかかってくるはずだ。そちらが本命。それを予想できていればどうとでも対処のしようはある。

元々のだだっ広い屋上とは違う。今は瓦礫で埋もれている。罠を仕掛けることなど容易い。トップスピードがリップルを掻っ攫ってから戻ってくるまでの間に仕掛けるだけの猶予は充分にあった。

右から攻められようと左から攻められようと後ろから攻められようとリップルが真っ直ぐにここまで近寄ることなどできない。そこかしこにピアノ線が張り巡《めぐ》らしてある。階下の部屋にもピアノ線とスタングレネードで罠を仕掛けた。リップルがまかり間違って下から来ようと問題ではない。

唯一隙があるとすれば上。だがリップルに飛行能力はない。トップスピードの助け無しに上から攻めこむことは不可能で、トップスピードが助けるのならば二方面からの攻撃はできなくなる。問題なくKSVKで塵《ちり》にしてやれる。

前方右斜め七十度にある五階建てビル――確か百貨店だったか――の窓が割れ、中から大きななにかがのっそりと出てきた。全方角に向けて神経を研《と》ぎ澄《す》ませていたカラミティ・メアリは当然それに気づいたが、同時に困惑した。出てきたなにかが「なにか」としかいいようがなく、その正体を一見で掴むことができなかったからだ。

黒くて四角い五メートル四方の壁にも見えるそれが防火扉だとわかった時には引き金を引いていた。防火扉は弾け飛び、扉の後ろに潜んでいた空飛ぶ箒はビルの陰に逃げていった。

――なんだありゃ？

百貨店の中にあった設備だろう、防火扉を前に掲げて飛んできた。意味としては盾とか遮蔽物とかそういうことなのだろうが、それで本当に役に立つと思っていたのだろうか。今度は別の窓から、また同じような防火扉が浮かび上がった。まっすぐにカラミティ・メアリを目指してくる。

カラミティ・メアリは唇を舐めた。唇は全く乾いていない。艶やかに湿っている。舌を伸ばした拍子に口の端から涎《よだれ》が落ちたが流れるままにしておいた。

防火扉は真っ直ぐに近づいてくる。さっきは面食らって気の抜けた射撃になったが、今回は違う。めいっぱいに引きつけてから撃ち殺す。

――さあ来いお嬢ちゃん。

――どこからでも来い。

――そして、

——死ね。

引き金を引いた瞬間にはもう着弾していた。魔法少女の反射神経を弾速が凌駕《りょうが》している。回避はできない。

防火扉が爆ぜた。破片になってバラバラと落ちていく。カラミティ・メアリの顔に喜悦が広がり、歪んだ。喜びのままに歪んだのではない。不可解な状況に顔を歪ませている。防火扉が爆ぜたのに死体がない。箒の残骸さえない。防火扉以外、なにもない。

後れ毛が逆立った。肌を刺すような殺気を感じる。KSVKを放り、同時にホルスターからトカレフを抜いた。

陽動があった際に襲われるルートは全て計算してある。左、右、後、下。たとえ虚《きょ》を突かれたとしても、カラミティ・メアリの早撃ちならば。

感じた殺気に従い、真上にトカレフを向けた。下弦の月。一面の星。いや、星はここまで多かったか。街中でこんなにも星が見えるわけがない。星ではない。こちらに向かって飛来する無数の……手裏剣？　いや違う。多すぎる。月光に照らされキラキラと輝いているそれは手裏剣ではない。ガラス片だ。あれならこのビル群にいくらでもある。

箒に跨ったトップスピードとリップルが、はるか高空から見下ろしていた。

——クソども……！

一発撃ち、二発撃ち、三発撃ち、四発目は撃つ暇がなく拳銃で横薙ぎに払い、そこまでだった。肩に、鎖骨に、ガラス片が突き刺さり、手裏剣の回転で肉を抉り、クナイが眉間(みけん)に深々と突き立ち、頭部から腰にかけて仰《の》け反《ぞ》らせ、海老反《えびぞ》りになった。

カラミティ・メアリが死の直前に思ったことは「あたしを見下ろすな」だった。

◇◇◇

全身くまなく手裏剣とクナイとガラス片で貫かれたカラミティ・メアリが仰向けに倒れた。テンガロンハットがふわふわと宙を漂い、所有者の胸に着地した。

リップルは止めていた息を一度に吐き出した。身体の端からじわじわと痛みが広がっていく。感じる暇さえなかった痛みが今になって襲ってきた。気が遠くなる。

リップルが防火扉をカラミティ・メアリに向けて投げた。リップルの魔法により、巨大な防火扉であっても一直線に飛ばすことができる。

正面から見れば一回目の防火扉と変わらない。また防火扉の後ろに潜《ひそ》んでいると思ってくれればそれでいい。カラミティ・メアリが防火扉を迎撃している隙を突き、ラピッドスワロー本体に乗ったトップスピードとリップルが上空から襲いかかった。

倒れたカラミティ・メアリの変身が解けていくのを視界の隅で確認し、リップルは倒れた。息が止まりそうだった。

「ナイス、相棒」

顔を上げた。青息吐息で地面に打ち倒れているリップルに向け、トップスピードが右手を差し出している。リップルは差し出された手をとった。

「かなりパンパカ撃たれたみたいだけど大丈夫か？」

「なんとか……」

差し出された手を握り、ぎゅっと力を込めると、なぜか引かれるままにトップスピードが倒れこんできた。リップルが逆にトップスピードを支える形になり、なんの悪ふざけだと口にしかけたところで気がついた。トップスピードの背後から現れた人影に。

白いスクール水着を着た高校生くらいの少女が薙《なぎ》刀《なた》と鉈《なた》を足して二で割ったような巨大な武器を振りかぶっている。そのふざけた格好とわかりやすい姿勢から意図を察し、リップルはトップスピードを抱えたまま転がった。巨大な武器はホテルの床をやすやすと切り裂き、掬い上げるようにしてリップルを追尾《ついび》したが、すでに膝立ちになっているリップルは抜き合わせた刀で受け流し、一跳躍《ひとちょうやく》で懐に潜りこみ、抜き胴で左太股に斬りつけ、返す刀で右の手首を裂いた。

相手の急所に充分な攻撃を加えたはずだった。だがあるべき手応えはなく、目前の敵は全く意に介さず武器を振り回している。リップルは一歩後退した。斬ったはずの箇所から血の一滴さえ流れていない。

――魔法……？

足を狙った、地を這うような横殴りの一撃を避けつつ、リップルは小太刀を抜き、投げつけた。小太刀は敵の足をホテルの床に縫いとめたが、敵が足を引くと小太刀がすっと抜けた。やはり血が出ていない。それどころか刺された跡さえ残っていない。

切り結んだ。リップルの攻撃は的確に敵の急所を捉えた。というより敵に避ける気がない。攻撃が命中しても手応えがない。空を切っているようだ。敵の攻撃は重く単調だ。避けるだけならどうとでもなるが、こちらの攻撃が当たらない。

お互いに決定打はない、と見たのか。水着の魔法少女は後退し、それと同時に巨大な武器が消え去った。足首が、脹脛《ふくらはぎ》が、太股が、腰が、ホテルの床に沈んでいき、頭の頂点まで全てが飲みこまれた。

リップルは舌打ちをした。攻撃が当たらなかったのではない。攻撃がすり抜けていた。間違いなく相手の魔法だろう。それをどうにかしない限り、リップルの能力では絶対に勝てない。

無為な行為を強いられていたことを知り、疲労が両肩に重くのしかかってきた。これ以上戦っても得るものがない。失うものだけだ。相手が逃げてしまったというならそれでいいが、決めつけるのは楽観が過ぎる。更なる攻撃をせんがために潜伏《せんぷく》したと見るべきで、それならばこちらも相応の行動を起こさなければならない。

リップルは踵《きびす》を返し、倒れているトップスピードを担ぐなり手を貸すなりして撤退しようと駆け寄ったが、直前で足を止めた。

そこには仰向けに寝かされたトップスピードがいるはずだった。御意見無用のコートを布団代わりに、ホテルの床に横たわったトップスピードがいるはずだった。なのにトップスピードはいなかった。御意見無用のコートはあったが、黒いとんがり帽子も魔女の服もない。

リップルはふらつく足取りで歩み寄り、横たわっている「人間」の傍らに膝をついた。年齢は十代後半くらい。女性。栗色の髪を三つ編みにしてまとめている。肩口から胸にかけて深々と斬り下ろされている。出血はすでに勢いをなくしている。本当に眠っているかのような穏やかな表情で瞑目《めいもく》している。

リップルは震える手で女性の手を握った。冷たくなっていた。

服装はマタニティドレス。お腹が大きくなっている。

トップスピードはこういっていた。少なくとも半年は生き延びなければいけないんだ、と。リップルは唇を噛んだ。強く強く噛んだ。血の味が口の中を満たし、だらだらと口の中から血液が溢れ出してもまだ噛み続けた。

トップスピードの言葉がリップルの内側で反響を続けている。残響は消えない。

——なんで、なんで、なんで、なんで、なんで……！

リップルは、ただ一人だけいた友達を失った。

◇◇◇

天使が舞い降りてきた時、スノーホワイトは安堵《あんど》した。お互いを追い落とそうとする異常な状況下であっても、いざ大惨事が起これば、魔法少女は敵味方抜きに駆けつけて世のため人のため働こうとする。それでこそ魔法少女だ。それこそが魔法少女だ。ピーキーエンジェルズは、倶辺ヶ浜の鉄塔でスノーホワイトとラ・ピュセルを襲った面子の中にいたはずで、今なお恐怖とともに記憶している。それでも人命救助とあれば過去を忘れて協力しなければならない。向こうに警戒させないためにも笑顔を強張《こわば》らせないよう気をつけなければならないだろう。

飛び切りの笑顔で迎えようとしたスノーホワイトはハードゴア・アリスに突き飛ばされて道路上を転がった。驚き、戸惑い、起き上がり、理解できず、なんのつもりだと見やると、ハードゴア・アリスはすでに天使と交戦状態にあった。

天使の表情は尋常《じんじょう》のものではない。唇を真一文字に引き結び、顔色は蒼白、眉間に皺《しわ》をため、うなり声をあげている。ハードゴア・アリスは道路上にぬいぐるみを投げ、ごく無造作に傍らの道路標識を引っこ抜き、頭上で、ぶん、と振るった。天使を近寄らせない。

スノーホワイトは「いったいなにをしているのか」と考えた。国道では大規模な自動車事故が起こった。死者負傷者ともにけして少なくないはずだ。魔法少女ができることは多い。それなのに、天使は襲いかかってきた。炎上する乗用車も横転するトラックも無数の怪我人も、全て放置して、だ。

スノーホワイトは恐怖より怒りを覚え、身を震わせた。身勝手で人の生命をなんとも思っていない行動に憤った。スノーホワイトの魔法は「困っている人を見つけ出し、その人がどうして困っているのか心を読みとることができる」魔法だ。ここでは数多くの声が聞こえてくる。声がどこから出ているかもわかる。その声を無視して戦っている魔法少女が信じられない。声が聞こえるのはスノーホワイトだけだが、助けを求めている人がいるのは見ればわかることだ。見えていないのか。目に入っていないのか。

声の数は増えている。そして大きくなっている。ふと、スノーホワイトは気がついた。助けを求める声以外にも奇妙な声が混ざっていることに。

〝困ったなぁ……どうしよう〟

声はスノーホワイトの後方十メートルから聞こえてくる。そちらを見ても誰もいない。しかし声は聞こえてくる。

〝スイムちゃんは魔法少女を襲えっていってたけど〟

〝事故の方に行かなくてもいいのかな……〟

〝でもスイムちゃんがいってたことだし〟

〝あの子をやっつけてから助けに行けばいいのかな……〟

「誰かいるの？」

〝えっ……あの子、私のこと見えてるの？　困るよそれ……なんで見えてるの〟

「あなたも魔法少女なの？」

心の声が止まった。

「ごめん！　見つかっちゃった！」

犬耳の魔法少女が突如姿を現した。

「なに見つかってんの！　あたしが陽動するからその間にあんたが後ろかららって手筈だったじゃん！　あんたが見つかったらダメじゃん！　無能！　馬鹿犬！　役立たず！」

天使はひとしきりくさし、かまわず振るわれる標識を慌てて避け、

「お前が扱えないならあたしに寄越せよ！」

罵声を吐き捨て、螺旋《らせん》を描くようにくるくると飛び、犬耳の少女から半透明の外套を奪い、羽織り、消えた。後に残された犬耳の魔法少女は目に涙を浮かべてそれを見ていたが、スノーホワイトだけでなく、標識を抱えたハードゴア・アリスが振り向くと、叫びとも悲鳴とも泣き声つかない声をあげ、足元のコンクリを引っかき、引っかかれた箇所に直径一メートルほどの穴が突如出現し、犬耳の魔法少女は穴の中に身を落とした。

ハードゴア・アリスは戦闘に巻きこまれて応戦しただけであり、襲われたスノーホワイトを庇ってくれた恩人でもある。天使は消え、犬耳も逃げてしまった。スノーホワイトは振り上げた拳を力なく下ろした。

「……助けに行こう。私達だけでも」

「はい。わかりました」

ハードゴア・アリスは兎のぬいぐるみを探し、瓦礫の陰に隠れていた兎を発見、掴み上げた。右手に兎、肩には道路標識を担いだままスノーホワイトの後を追った。

◇◇◇

テレビを切った。国道X号線での事故は、いよいよ凄惨《せいさん》な実態を露にしていたが、そこに駆けつけようとはもう思わなかった。駆けつければできることはたくさんある。しかし駆けつけてもしたいことが一つもない。

シスターナナ……羽二重奈々《はぶたえなな》は、王結寺から逃げ帰って以来、ずっとベッドの上で横になっていた。

亜柊雫《あしゅうしずく》。ヴェス・ウィンタープリズン。

奈々は仰向けのまま顔だけを横に向けた。シスターナナとヴェス・ウィンタープリズンが、羽二重奈々と亜柊雫が、笑顔で収まった写真が何枚も飾られているコルクボード。雫はいつだって優しかった。奈々が転びそうになれば支えてくれた。掃除、洗濯、なんでもしてくれた。大学のレポートを手伝ってくれた。奈々のことを可愛いと褒めてくれた。自分の見てくれがいまいちであることは、本人が一番よく知っている。揶揄《やゆ》や優越感を込めて「可愛い」といわれることはあっても本心からいわれたことはなかった。だがウィンタープリズンには揶揄も優越感もなかった。なにを気に入っていたかはわからないが、好きだという本人の弁に嘘偽《うそいつわ》りはなかったのだろう。趣味がいいとは思えない。

シスターナナの魔法は「他の魔法少女の力を引き出す」である。シスターナナが力を引き出すことでウィンタープリズンはより強くなった。

ウィンタープリズンは心から奈々を心配してくれた。奈々はどうだろう。奈々は違った。奈々はウィンタープリズンを愛していた。愛していたが、ウィンタープリズンを心配していたわけでは、たぶんなかった。奈々はウィンタープリズンを死地に追いこんでいた。いたずらに危険な場所につき合せていた。

――ウィンタープリズンは……。

何度考えても同じ結論にしか至らない。もうこれ以上考えたくなかった。

数時間ぶりか、数日ぶりか。時間感覚を失くして久しいのでわからない。奈々はベッドから身を引き起こした。関節がギシギシと鳴った。

奈々は優しかったわけでも清らかだったわけでもない。目的に向けて計算し、打算の元に行動していただけだ。優しく、清らかだったのではなく、優しく、清らかだと思ってもらいたかった。ウィンタープリズンに。理想の王子様に。

椅子の上にかかっている長いマフラーは雫の私物だったろうか。ウィンタープリズンの正式な衣装ではなかったと思う。奈々はマフラーと椅子を手にとった。

優しく、清らかなヒロインとして王子様を庇って死にたかった。といったらウィンタープリズンはどんな顔をするだろう。しかし自分の内面を分析すると、どうもそう願っていたとしか思えない。現在の喪失感は悲しみを上回っている。

椅子をカーテンレールの下に置き、その上に立った。マフラーをカーテンレールに結び、さらに輪を作る。

王子様を守って死ぬヒロインにはなれなかった。

王子様の仇を討つため戦うヒロインになることはできるだろう。スノーホワイトやハードゴア・アリスと協力し、彼女達の力を引き出すことで国道の大事故で苦しんでいる人達を助けることもできるだろう。だが趣味じゃない。

マフラーで作った輪に首を通した。

王子様を守って死ぬヒロインにはなれなかった。王子様の仇を討つために戦うヒロインにはなりたくない。次点があるとすれば王子様の後を追って死ぬヒロイン、か。

ウィンタープリズンはシスターナナの思いに気づいていただろうか。シスターナナがウィンタープリズンを見捨てて逃げることまで予想していたように思える。その上でシスターナナを守って死ぬことができたのか。

シスターナナには絶対に真似できない。

ウィンタープリズンとの決定的な断絶を感じながら奈々は足元の椅子を蹴倒した。

『チャット　その5』

ファヴ：えーっと今週の脱落者ですがぽん
ファヴ：いつもより大変に多くなっておりますぽん
ファヴ：お聞き逃しのないようご注意くださいぽん
ファヴ：ヴェス・ウィンタープリズン
ファヴ：カラミティ・メアリ
ファヴ：シスターナナ
ファヴ：トップスピード
ファヴ：ユナエル
ファヴ：以上五名が脱落と相成りましたぽん
ファヴ：残る魔法少女は
ファヴ：スイムスイム
ファヴ：スノーホワイト

ファヴ：たま
ファヴ：ハードゴア・アリス
ファヴ：ミナエル
ファヴ：森の音楽家クラムベリー
ファヴ：リップル
ファヴ：以上七名
ファヴ：おおっ！　ついに！　当初予定していた八名以下に！　素晴らしいぽん
ファヴ：だけど残念なことに……これで終わりとはいかなくなりましたぽん
ファヴ：みんなに使ってもらってるアイテム
ファヴ：あれのせいで魔力の供給がまた足りなくなってしまったぽん
ファヴ：いやー、これは完全に誤算だったぽん
ファヴ：というわけで、魔法少女のみんなには大変申し訳ないけど
ファヴ：八名だった枠が四名になったぽん
ファヴ：魔法少女の数が四人になるまで頑張ってキャンディー集めてぽん
ファヴ：みんなならきっと残れるはずぽん
ファヴ：それじゃさよなら～

第七章　クラムベリーの秘密

カラミティ・メアリの大暴れは、世間的にはテロということで落ち着いた。予告も犯行声明もなかったが、それ以上に世間を納得させる理由付けはなかった。

スノーホワイトとハードゴア・アリスが人命救助に尽力《じんりょく》し、両手両足の指を足してもまだ足りないほどの目撃者を出した。それに加え、カラミティ・メアリの残した対物ライフルをはじめとした凶悪な火器の数々がテロ説に信憑性《しんぴょうせい》を与え、そういった兵器は魔法少女とはイメージがずれるためか、魔法少女が犯人であるという説を公《おおやけ》に唱える者はいなかった。そもそも魔法少女自体、いかに目撃情報が多かったとしても公のものではない。

カラミティ・メアリに協力していた組織は実行犯が誰であるか気づいていないわけがなかったが、彼らは黙した。魔法少女とはなんであるかなどとは考えず、暴走する最終兵器を厄介払いできたくらいにしか思っていないのだろう。

「いやー朝から疲れたぽん」

球体の白い部分がくすみ、蝶の羽の動きに力がない。ような気がする。

「詐欺だのペテンだのインチキだのイカサマだのいわれたい放題ぽん。やっぱりアイテム追加したから最終枠を四人にするって言い訳はちょっと苦しかったんじゃないぽん?」

「苦しいならそれはそれで」

「マスター」

「なんです?」

「ファヴがどんなに苦労したってファヴだからいいやとか思ってないぽん?」

「嫌われるのも仕事の内でしょう」

クラムベリーは寝転んだままで頬に手を当てた。

「貴方は嫌われていてください。私はその間に色々考えてますから」

現在までで死亡した魔法少女は、ねむりん、ルーラ、ラ・ピュセル、マジカロイド44、ヴェス・ウィンタープリズン、シスターナナ、ユナエル、カラミティ・メアリ、トップスピード。ウィンタープリズンとの再戦が果たせなかったのは残念だった。クラムベリーとともに残るのはきっとウィンタープリズンだと思っていたのに。

ゲームが半ばを過ぎ、最有力候補だったウィンタープリズンがいなくなってしまった今、残る有力候補といえばスイムスイムかリップルだろうか。それともハードゴア・アリスだろうか。相手にして面白そうな者がいい。

「あ、そうそう」

「途中経過まとめて報告書にして送るけどなにかあるぽん？」

「どうしました？」

「魔法の国」は新しい血を求めて定期的に選抜試験を行う。候補として才能ある者が選ばれ、その中から新たな仲間を一人だけ選び出す。

慣例的に選抜試験の進行役はマスターと呼ばれる。「魔法の国」から要員が派遣され、現地の人間をアドバイザーとして確保し、助言を容れつつ試験を進める。進行役たるマスター無くして選抜試験は成り立たない。

マスターに支給される魔法の端末は、より円滑な進行を手助けするために、一般の魔法の端末にはない様々なアプリケーションがインストールされていた。管理者用端末の住人であるファヴが、必要と思われる物をどこからか手に入れてくる。こそこそと悪事を働く不心得な試験官であるファヴが揃えているアプリケーションには物騒な物が多い。

「経過報告なんて適当でいいですよ」

「はいはい」

ファヴはあんなふうでもきちんと形にしてくれるだろう。「魔法の国」が納得してくれる、ごく当たり前の人材育成として報告してくれるはずだ。血の赤色で彩られた殺し合いを牧歌的で平和的な良い子の試験に見せかけてくれる。

「魔法の国」は才能を求めてはいたが、その過程で死者が出ることをよしとしない。自分達の都合で他世界に迷惑をかけるべきではないのだという。

なにを馬鹿な、とクラムベリーは唾を吐いた。

才能を求めて異世界に手を伸ばしているというその行為が迷惑そのものだ。必要以上の迷惑を云々など傲慢でしかない。どうせ迷惑をかけるならやるべきことを全てやればいい。才能が欲しいなら弱者を排除し強者を選別すべきだ。

クラムベリーが「魔法の国」の住人に選ばれた選抜試験では事故が起きた。地下室の中で候補の一人に召喚された悪魔が暴走した。悪魔が鎮圧された時には、クラムベリー一人を除き、全員肉塊《にくかい》になっていた。召喚者、他の候補者、悪魔を止めようとした試験官、合計十二名が犠牲になる大惨事となった。

クラスメイトが一人また一人と潰され、溶かされ、捏《こ》ねられ、砕かれていく。当時九歳のクラムベリーにとっては気が触れんばかりに大きなショック体験だったが、それ以上の喜びがあった。殺戮《さつりく》の愉悦《ゆえつ》に涎を流す暴力の化身と拳を交え、魔法を打ち合い、お互いに死力を尽くした上で相手を屈服させる。まさに正義のヒーローだった。強敵と戦い、それを打ち倒すカタルシスがあった。

悪魔が消滅した後もクラムベリーは陶然と立ち続けた。頭頂部からつま先まで恍惚《こうこつ》が満ちていた。試験官が持っていた端末から立体映像が浮かび上がって「いつまでそうしてるぽん?」と話しかけられるまで、流れ出る血もそのままに喜びに浸っていた。

本当にショックだったのは、この体験があくまでも事故でしかないと教えられた時だ。本来こうあるべきだと見せてもらった選抜試験はあまりにも生ぬるく、かったるく、だるかった。脱落者が照れ笑いし、勝者が皆から祝福される。そうじゃないだろうと思った。違うだろうと思った。取り返しのつかない大切なものを奪い合い、殺し、殺され、その結果残った者が選ばれるべきだ。

ファヴにそのことを話すと「だったらマスターになればいいぽん」と助言を受けた。ファヴもまた従来の試験が退屈で仕方なかったのだとぼやき、クラムベリーが主導する選抜試験を見世物として楽しみたいといった。

ひょっとすると事故にあった時に、自分の中のなにかが壊れてしまったのかもしれないと思う。だがそれでもなんら問題はない。クラムベリーがマスターになったからにはクラムベリーのやりたいようにゲームを進める。「魔法の国」に露見しない限り、マスターにはその権利があるのだ。

「ただ、もう少し参加者として楽しみたいところです。お誘いがないものか」

独りごちた。

◇◇◇

スイムスイムは考える。

魔法少女は七人にまで減ったが、新しい足切りラインができた。生き残る四人の中に仲間が全員入るためには、仲間以外の魔法少女を三人減らす必要がある。

たまは、スノーホワイト、ハードゴア・アリスと交戦しながらも逃げて帰ってきた。ミナエルはまだ帰ってきていない。しかし死んだというわけでもなさそうだ。

ミナエルが敵の注意をひくことには成功したものの、透明外套を羽織ったたまが居場所を察知されてしまったために不意打ちが失敗した。なにかしらの魔法を使ったものと思われる、とのこと。

居場所を察知される魔法。まず透明外套が使えなくなる。さらに、たまが穴を掘って足元から攻撃することもできなくなるし、スイムスイムが地面の下を潜《もぐ》っても居場所が知られてしまうだろう。ミナエルが物に化けても正体を看破されてしまうかもしれない。姿の見えない場所から不意打ちをかけるというやり方は、騎士道精神や正々堂々といったことさえ考えなければ非常に効果的で、ルーラが騎士道精神や正々堂々を心に留めることなどまずあるわけがなく、ならばスイムスイムもそのやり方を踏襲《とうしゅう》する。が、スノーホワイトに探知されてはどうしようもない。相性が悪い。

つまり、スノーホワイトとの戦いは、少なくとも当面は避けるべきだ。ハードゴア・アリスについてもスノーホワイトと行動を共にしているようなので同じ枠に入れる。

ではリップルはどうだろう。

トップスピードは後ろから斬りかかって仕留めたが、真正面から斬り合ったリップルは見逃した。カラミティ・メアリとの戦闘を見るに、リップルやカラミティ・メアリとスイムスイムとでは反射神経、敏捷性、機敏さ、これらにどうしようもない隔《へだ》たりがある。リップルの攻撃を全て無効化しながらも戦いが膠着《こうちゃく》した原因がここにある。

移動速度ならともかく、戦闘時の素早さはミナエルもたまもスイムスイムとどっこいだ。リップルの攻撃を受けつけないスイムスイムはともかくとして、たまやミナエルは行動を起こす前に斬り殺される可能性が高い。不意打ちさえ成功すればそこで勝ちだが、もし失敗すれば、こちらが受けるダメージは甚大《じんだい》だ。

リップルと戦うのであればスイムスイム単独で向かうのが良いように思える。

あと一人残るのは、森の音楽家クラムベリー。

情報は特にない。

未知であることは、それそのものが大きな懸念《けねん》とイコールで結ばれている。が、情報がないということは、ここまで全く戦いに参加することなく、他の魔法少女と遭遇《そうぐう》することなく、ただ生き延びてきたということでもある。腕に自信があれば国道X号線でカラミティ・メアリが暴れた時に出向いていたのではないだろうか。それに森の音楽家という呼び名は喧嘩自慢という感じではない。

不意打ちが通用しないスノーホワイト、動きが速すぎて捉えられないリップルに比べれば、与《くみ》しやすいのではないか。

数に限りがあるため、ここまで使い惜しんできた「元気が出る薬」の実験台としても悪くない。クラムベリー戦で「元気が出る薬」の効用を試し、効果大であるならリップルとの戦いで使用すればいい。

板敷きの上で正座してしょんぼりと小さくなっているたま。まだ帰ってきていないミナエル。

ユナエルの脱落は痛恨だったが、スイムスイムを合わせた三名が、八名の中に入ることができた。ルーラならリミットが四名になっても全員クリアさせることができるはずだ。

スイムスイムは考える。ルーラならすること、ルーラはしないこと。

スイムスイムの思索は音を立てて開けられた扉によって中断させられた。ミナエルがいた。ユナエルがウィンタープリズンに殺された時と同じ顔で荒々しく息を吸い、吐いていた。たまが悲鳴をあげたが、ミナエルはちらとも見ずに叫んだ。

「殺せるやつが一人いる！　今度は失敗しない！」

◇◇◇

倶辺ヶ浜の釣具屋通り裏のさらに裏には長い石階段がある。昼間は子供の遊び場になっているが、街灯が一つもない。釣具屋の営業時間は夜遅く朝早いが、裏の裏にあるためそこまで店の照明も届かず、月明かりや星明りを頼りにして長い石階段を使おうとする命知らずはいないため、夜にもなれば人通りはなくなり、魔法少女くらいしかいなくなる。

スノーホワイトは石段の一段目に腰かけ、足元に転がっている小石をじっと見ていた。国道での事故は事故ではなかった。大穴の開いた路面や爆散した乗用車、足首だけ残った人間を見ればあれが普通の交通事故でなかったことくらいわかる。

事件当時は、車のドアをこじ開けて怪我人を助けたり、道路の破壊によって孤立した怪我人を抱えて救急車に運んだり、次から次に目まぐるしく働いたため深く考えることはなかったが、考えれば考えるほど魔法少女の仕業以外にありえない。

助けを求める人達を放って戦いに興じる魔法少女達には失望を感じたが、率先して人を傷つけ、殺した魔法少女の存在には絶望を感じる。

そこにきて「残れる枠が八名から四名に減りました」だ。

感情に任せてファヴを罵倒した後は、怒りも恐怖もなく、もうなにも残っていない。倦《けん》怠《たい》感《かん》と脱力感だけがあった。

魔法少女は困っている人を助けるためにいるのだと思っていたし、スノーホワイトの魔法はまさにそのための魔法だったはずだ。

他の魔法少女が狂っているのではなく、スノーホワイトがおかしかったのだろうか。そんなことはないと慰めてくれるラ・ピュセルはもういない。みんなで知恵を出し合って危機を乗り切ろうと約束したシスターナナとウィンタープリズンもいなくなってしまった。バトル漫画の中で一人だけラブコメをやろうとしているような滑稽さがある。

「なにもしたくない……」

心の底の底からの吐露《とろ》だった。疲れていた。一日の終わりに魔法少女目撃情報まとめサイトの自分の項目を確認してにやにやするという日課が一日置きになり、三日置きになり、やがてやらなくなってからどれだけ経過しただろう。

「なにもしなくていいよね……」

優しい言葉を期待しての問いかけだったが、

「いいえ」

返ってきた返事は否定だった。

「わたしができることもないし」

「いいえ」

「したいこともない」

「いいえ」

「あのさ」

「いいえ」

スノーホワイトは見つめていた石をつま先で蹴り飛ばした。平たい形の石は蹴られた力ほどには転がらず、電柱に当たって跳ね返った。

「わたしはもうなにもしたくない！」

スノーホワイトは叫んだ。叫ぶだけの元気があったことに内心驚いた。立ち上がり、傍らに腰かけていたハードゴア・アリスの胸倉を掴んで立ち上がらせた。

「この街に魔法少女なんてもういない！　わたしは、もう、なにも、したくない！」

あんなことがあったのになにも変わらない様子のハードゴア・アリスにも腹が立った。瞳は淀《よど》んで虹彩がない。目の下は深い隈《くま》で縁取《ふちど》られ、胸倉を掴まれているために猫背こそ隠れているものの、初めて会った時のままだ。

あれだけのことがあったのに。沈んだり悲しんだりしていないのか。スノーホワイトは、ハードゴア・アリスとハードゴア・アリスに腹を立てている自分自身に腹を立てた。

「この街に魔法少女はまだいます」

「もういないよ。魔法少女はもういなくなった」

「いいえ。います」

「いない」

「いいえ」

「いないっ！」

スノーホワイトは荒々しくアリスを離し、アリスは石段の上で尻餅をついた。スノーホワイトは叫んだ。

「ラ・ピュセルもシスターナナもウィンタープリズンもいない！　もうこの街に魔法少女なんていない！　もうわたしにかまわないでっ！」

ポケットから兎の足を取り出してハードゴア・アリスに投げつけ、スノーホワイトは駆け出した。後ろから追いかけてくる気配があったが、「ついてこないで！」と叫ぶとそれも消えた。スノーホワイトは闇の中をただ一人で駆け続けた。

◇◇◇

鳩田亜子《はとだあこ》はカーテンの隙間から差す日の光と雀《すずめ》の声で目を覚まし、むっくりと起き上がった。枕元で寝ている白兎に手を伸ばそうとしたが、そこにはなにもなかった。亜子がぞんざいに扱うせいもあり、しょっちゅう行方不明になっている。後で探そうと考え、朝食をとることにした。

叔父は夜勤明けで寝ている。叔母は朝食を用意してすでに出勤している。パンにマーガリンを塗り、その上に杏《あんず》のジャムを塗る。目玉焼きにはソース。キャベツには醤油。醤油差しが詰まっていたら爪楊枝《つまようじ》で穴を開ける。昨夜のうちに通学カバンに必要なものを入れてある。制服は居間の長押《なげし》、ハンガーに掛かってぶら下がっている。鏡を見る。顔色は悪いが体調はいつも通り。頬についていたキャベツを口の中に入れた。

全て普段通りだ。学校に向かう学生の集団に混ざる。誰と会話をするというわけではなく、挨拶一つするわけでもないが、一学生として群れの中に埋没《まいぼつ》している。

スノーホワイトは兎の足を投げ、もうかまわないでくれといった。そんなわけにはいかない。スノーホワイトはハードゴア・アリスと違い、首を斬られても腹を刺されても簡単に死んでしまうはずだ。ハードゴア・アリスが側にいて守ってあげなければならないし、守れないにしても、せめて保険代わりに兎の足を持っていてもらわなければならない。

ファヴに連絡を頼んでも無視されるかもしれない。もうしそうなったら今晩からスノーホワイトがいそうな場所を探そう。そんなことを考えながら俯いて歩いていたら、名前を呼ばれ、ふっと顔を上げた。顔を上げてから気がついた。「亜子」ではなく、「ハードゴア・アリス」と呼ばれたことに。

数メートル前に立っていた、奇妙な格好の人物と目が合った。こちらが名前に反応したことを確認すると、その人物はゆっくりと近づいてきた。学生でもないし勤め人でもない。群れから浮き上がっている。コートのフードを目深《まぶか》に被り、こちらを見ている。歩いてくる。コートの中は……水着？　目に見覚えがある。

亜子の父と似た目をしていた。面会に行ってもなにを喋るというわけでもなく「もうここには来ないでくれ」とだけいって刑務所の中に戻っていった父。そんな父の底光りする目とそっくりだった。鏡を見るたび目にする自分の顔にも二つある、父そっくりの目。あれは、人殺しの目だ。

混乱した。白いスクール水着の上にコートを羽織った人殺しがこちらに向かって歩いてくる。亜子を見ている。亜子を目指している。こんな朝の通勤通学時間に襲う気なのか。通学路だ。人が大勢いる。ここで変身すれば、同じ学校の生徒たちに亜子の正体が露見し、魔法少女の資格を奪われる。すなわち死を意味する。変身するなら、周りに誰もいない場所でなければならない。

亜子は身を翻《ひるがえ》した。誰もいない場所を求め、一歩踏み出したところで、背中をどんと押されてよろめいた。支えるものがない。空をかく。つんのめる。転ぶ。悲鳴が聞こえた。背中が熱い。押されたのではない。背中を刺された。深い。血が抜けていく。死ぬのか。早く、早く誰もいない場所へ。誰もいない場所に行けばハードゴア・アリスに変身できる。変身さえできればこの程度の傷はすぐに治る。

アスファルトの上を這いずり、身体一つ分移動し、腕が動かなくなった。

変身できない。変身できないなら、せめてスノーホワイトに。なのに。

亜子の持っていた兎の足が小さく震えた。

◇◇◇

起きたばかりの小雪の耳に小さな声が届いた。かつてなかったことだ。スノーホワイトに変身してからでなければ困ってる人の声が聞こえることはない。そのルールはこれまで一度も曲がることなく厳然と聳え立っていた。なのに声が聞こえている。

小さくて、弱々しくて、今にも消えてしまいそうな声だった。

まだ着替えていた小雪は、顔を上げ、耳をそばだてた。昨日叫んだ言葉が我が身に返ってくる。この街にはもう魔法少女なんていない。ラ・ピュセルもシスターナナもウィンタープリズンもいなくなってしまった。スノーホワイトが魔法少女に対して抱いていた希望はなに一つとして残っていない。

小雪は唇を噛んだ。声は小さくなっていく。持っていたスカーフを床に投げ捨て、窓から飛び出した。スノーホワイトに変身し、通学途中の学生達の間を縫ってひた走った。悲鳴や喚声が飛び交っていたが、全て無視した。声のする方を目指して地を跳び、電柱を駆け上がり、電線の上から地上を見下ろした。人が集まっている。あそこか。

電線の上を走り、飛び降りた。人垣の中央、誰も入ろうとしない場所に、少女が倒れていた。声が聞こえる。

〝スノーホワイトを……〟

スノーホワイトは駆け寄った。周囲では騒いでいるようだが、スノーホワイトの耳には倒れている少女の心の声しか聞こえない。小さく、弱々しく、今にも消えそうで、なのにはっきりと聞こえてきた。

少女に駆け寄りながら、スノーホワイトは不思議に思った。なぜこの子は、私の変身した後の名前を知っているのか。なぜその名前を呼んでいるのか。その疑問はすぐに解けた。白い魔法少女の姿を見とめた少女は、弱々しく右手を差し出した。その右手には、白い毛の塊が握られていた。

〝元気づけてあげたかった〟

〝あなたがいれば……〟

〝私を助けてくれたあなたがいれば……〟

〝この街から魔法少女はいなくならないって……〟

〝そういってあげたかったのに……〟

〝昨日はスノーホワイトが走って行っちゃって……いえなくて……〟

〝今日こそ……〟

スノーホワイトは少女の右手を両手で握った。まるで死人のように冷たくなっている。

〝スノーホワイト……〟

〝せめてこれを……兎の足を……〟

声が途絶えた。

少女の制服は血で汚れていたが、顔には数滴の血が跳ねるのみで綺麗なものだった。スノーホワイトは少女に見覚えがあった。鍵を失くして家に入ることができず困っていた中学生だ。

スノーホワイトは少女の手をきつく握った。

◇◇◇

ウィンタープリズンを相手に犯した失敗を参考にしたのだという。

ピーキーエンジェルズは、ウィンタープリズンに致命傷を与えながら、反撃によってユナエルを失った。トドメを刺したと思いこんで正体を明かしたことが原因である。

化け、騙し、懐に入り、一刺ししても、油断をしてはいけない。ミナエルはユナエルの死から学んだのだと歯を食いしばりながら話してくれた。

国道X号線での戦い。たまの透明外套を奪ったミナエルは姿を消し、ハードゴア・アリスの抱いていた白兎の人形に変身した。道端に投げてあった人形に透明外套をかけ、入れ替わる。入れ替わったままでハードゴア・アリスに拾われ、そのまま家まで連れて行かれた。ハードゴア・アリスの正体を知り、住所を知った。

襲うタイミングは厳選した。失敗を活かした。絶対に反撃をもらわない場面で攻撃する。人間に囲まれ、変身すれば正体を知られてしまう、そんな場面で。

ミナエルは「こうすればよかったんだ。最初からこうすれば。そうすればユナも死なないですんだんだ」といったことをブツブツと呟き続けていた。

第八章　魔王の娘

ハードゴア・アリスを始末してから二日後。

森の音楽家クラムベリーは、会いたいという申し出を受け入れてくれた。二つ返事だったこともあり、罠の可能性も考慮したが、待ち伏せされることがなく、こちらで準備することができるのならば、なんら問題はない。

「元気が出る薬」を一人一粒ずつ分配した。薬の効果の持続時間は、わずか三十分。スイムスイムからの指示があり次第飲み下し、クラムベリーを襲う。

場所はN市内では高波山に次いで標高の高い船賀山《ふながやま》。項島台駅から反時計回りで通りを抜け、そのまま坂を登り続ければ入り口に出る。高波山とは違い、開発に失敗したまま放置されているというわけではない。スキー場としてはそれなりに整備され、冬はスキーやスノーボードを目的とした観光客が県の内外から訪れる。

だがそれは山の南側だ。山の北側に観光シーズンは存在しない。人の手が入れられることもなく木も草も伸びるに任せている。道は未舗装の林道が一本あるくらいで、他は獣《けもの》道《みち》しかない。北側は高角度で切り立っているため、人間が踏み込むにはそれなりの専門的知識が必要となるのだ。ただし魔法少女であればごく気軽に入山できる。

スイムスイムは船賀山の中腹にある山小屋を待ち合わせ場所として指定した。数年前の大雨が原因で起こった土砂崩れに巻き込まれ、山小屋は半ば土の中に埋まってしまっている。どんな粋人《すいじん》だろうと変わり者だろうと人間がこの小屋を訪ねることはない。

ミナエル、たま、それぞれ指定の場所に移動させ、自分は一人山小屋の中でクラムベリーを待つ。ミナエルは極端に情緒不安定で、それにつられているのか、たまも安定しているとはいい難い。リーダーは冷静でいなければならないため、スイムスイムだけは変わらない。メンバーが作戦通りに動いてくれないことまで考慮する必要があった。

時刻はすでに深夜。梟《ふくろう》の鳴き声がごくたまに、虫の声はひっきりなしに、小屋の中にまで聞こえてくる。荒れ果てた山小屋の中の黴《かび》臭い空気に飽き、山小屋から顔だけ出して外を見たが動くものは風に吹かれる木々と草花のみだった。

夜の山も昼の山も夜目がきく魔法少女にとっては変わらない風景だ。ただし昼間下見に来た時に比べて匂いに湿り気が強い。夜だから匂いも違うのか、それとも雨雲が近いのか。

スイムスイムは顔を引っこめ、再び待ち始めた。小屋の片隅に張られている蜘蛛《くも》の巣には蜘蛛がいなかった。待つのに飽きてどこかに引っ越したのか。

魔法の端末が着信音を奏でた。来た。

もうすぐクラムベリーが山小屋に来る。三対一で圧殺する。もうすぐ来る。それまでは待つ。スイムスイムは元気が出る薬を飲みこんだ。錠剤は粒が大きかったがすんなりと喉の奥に吸いこまれていった。身体の奥から力が湧いてきた気がする。

まだか。もう少し待たなければならないか。その時遠くの方から魂消《たまげ》るような叫び声が聞こえた。蹴られた犬がきゃんと鳴くのにも似たその声には聞き覚えがあった。たまだ。

もう始まっている。スイムスイムは「とぷん」と地面に潜りこんだ。

◇◇◇

森の音楽家クラムベリーは耳がいい。平均的な魔法少女より、はるかに優れた聴力を持つ。山に入る前から天使の羽音には気がついていたし、山に入ってからは透明外套を羽織って尾行している魔法少女の足音や鼻息、衣擦《きぬず》れの音に気がついていた。透明外套は強力なアイテムではあるが、穴も多い。着用者が困っていればスノーホワイトにも気づかれるし、音で敵の動きを察知するクラムベリーにも無力だ。

クラムベリーは道中で拳大の石を拾い上げた。指先でもてあそび、二度ほど上に投げては受け止め、背後の尾行者に投げつけた。石はなにも無いはずの空間で跳ね返り、犬のような鳴き声が聞こえた。土が突如くり抜かれ、直径一メートルほどの穴が開く。穴はどんどん先へと進んでいき、魔法少女が逃げていく。

クラムベリーは殺すつもりで石を投げたが、致命傷には至らず、逃げていくだけの余力があったようだ。おそらくは咄嗟に腕で受け止めたのだろう。大ダメージを受け、闘争心も折れたろうが、逃げる元気はあるというわけだ。

地面に傷をつけ、それを直径一メートルの穴に広げてずんずんと地中を逃げていく。この逃げ方はたまだ。クラムベリーは、たまの能力を把握している。本来、たま程度の反射神経では、クラムベリーの投石に反応はできない。常以上の反射神経が働いている。「元気が出る薬」を服用していると見て間違いない。

土中を移動する音は遠ざかっていったが、追わなかった。逃げていく負け犬よりも先に片付けておくべき事案があった。上空にいたはずの天使の羽音が聞こえなくなっている。

クラムベリーは慎重に動いた。慎重に動いているということを気づかれないよう、ごく自然に足を進めた。苔生した大木を避け、背の低い木を踏み、蔦を手にとって崖を乗り越えた。近づいている。鼓動はほどよい緊張感を帯びている。元気が出る薬の効果を計算に入れて攻撃しなければならない。ごく無造作に茂みに踏みこみ、予備動作無しで右手で岩を抉った。人間大の岩に右手を抉りこみ、持ち上げ、地面に叩きつけた。

岩から聞こえてきていた鼓動が停止した。岩だったものが胸を貫かれた天使に変化し、天使は若い女性になった。物に化けて襲うというアイディアは悪くないが、クラムベリー相手では意味がない。

ウィンタープリズンもつまらない相手に殺されてくれたものだ、とため息をついた。

◇◇◇

山小屋を出てから五分後、土中を遁走《とんそう》していたたまと合流した。

「ごめんなさい、ごめんなさい。いきなり、いきなり石を投げられて。腕が、腕が」

たまの悲嘆に耳を傾け、同情してやっている場合ではない。スイムスイムは後ろについてくるよう指示し、半身を地面に潜らせ、周囲を警戒しながら敵を探した。ミナエルは未だ交戦しているかもしれない。そこへ割りこむことができれば挟み撃ちだ。

ほどなくして戦いの痕跡《こんせき》らしいものを発見した。背の低い木が何本か倒されている。攻撃というよりは移動の際に巻きこんだものに見えた。つまりこの先に敵がいる可能性が高い。方向を変え、さらに先へ進もうとした矢先、地面が揺れた。

なにがあった。

音を頼りに駆けつけた先では、若い女性の死体が横たわっていた。変身の解けたユナエルにそっくりで、スイムスイムはなにが起こったのかを察した。地面に膝をつけて頭を抱えようとするたまを無理やり引き起こした。今嘆いていてもらっていては困る。

ルーラならきっと叱咤の一つもするだろう。声をかけようとしたスイムスイムは、たまの背後三十メートルの木立の中に人影を認めた。場にそぐわぬ色とりどりの花。いや、森の音楽家だからこれでいいのか。たまの耳元に口を寄せて小声で伝えた。

「クラムベリーが後ろにいる。挟み撃ちにする」

地面に潜った。

◇◇◇

スイムスイムはクラムベリーが襲いかかるよりも早く潜行した。的確である。ここまでスイムスイムが殺害した魔法少女の人数は三人。ダントツのスコアだ。実際、彼女の魔法は参加者の中でもトップクラスに強い。冷酷で効率的な精神性も評価している。ゲーム開始前には、最後まで残るならスイムスイムではないかと予想していた。

――でも勝てないんですけどね。

強い相手があがき、苦しみ、それでもクラムベリーに打ち滅ぼされる。クラムベリーはぎりぎりで凌ぎ、勝利する。クラムベリーが勝ち残っては、強者を選別するという目的に反しているのだが、力量差も見抜けずクラムベリーに粉をかけてくる間抜けが悪い。強さの違いがわかっていないのだから、その間抜けは選ばれるべき強者ではないのだ。

クラムベリーは苦笑した。

殺し合いという分野でクラムベリーに勝てる魔法少女は、N市内に存在しない。当然スイムスイムにも勝てる。彼女の魔法「物質透過」は、一見すると無敵だが弱点はある。透過できないものが存在する。

たとえば光。彼女の姿が視認できるということは、光を透過してはいないということである。そして透過できないものはもう一つある。

たまは木の陰から陰に移動しながら近づいてくる。ひょっとしてあれは隠れているつもりなのだろうか。スイムスイムが地中のどこを通って移動しているかも把握できている。鼓動の音まで消すことはできない。意外なほどに落ち着いた心臓の音が、地面の中からはっきりと聞こえてくる。

たまは反時計回り。スイムスイムは時計回り。螺旋状の動きでクラムベリーとの距離を詰めている。同時に襲ってくるつもりか。その前に各個撃破するべきだろう。どちらを優先するか。たまとスイムスイムなら後者の方がより厄介か。スイムスイムとはおよそ十メートル離れている。位置は地中。深さは……頭部が地表から三十センチくらいか。

クラムベリーは動作の起こりなしで後ろへ跳んだ。同時にスイムスイムが地面から半身を出し、少し遅れてたまが走った。スイムスイムの手の中に巨大な武器が出現し、クラムベリーへ振りかぶった。クラムベリーは右手を前へ出した。

スイムスイムは物質を透過しながらも会話をすることができる。つまり、音はスイムスイムを透過していない。スイムスイムは光だけでなく音も透過することができない。

音による一撃。

周囲の草が巻き上がり、後方の木々が軒並み吹き飛んだ。轟音《ごうおん》がスイムスイムの身を殴り、スイムスイムは弾き飛ばされた。指向性の破壊音波であるため、その分魔法の力を一点に集中させている。威力は高い。

昔を思い出す。これで地下室の悪魔を撃退したのだ。あの時の快感が忘れられない。忘れられないからこそ今でもこんなことをしている。

スイムスイムは全身を強く打ち、骨の折れる音もあった。一撃で仕留めたかと思ったが、まだ鼓動も呼吸も止まっていない。なかなかに打たれ強い。たまは様子を見ているようだ。ならばやはり優先すべきはスイムスイムだろう。完全に息の根を止める。

クラムベリーは倒れたスイムスイムに歩み寄り、踵《かかと》を上げた。後頭部を踏み砕くことによってスイムスイムの生命を断ち切ろうとした。しかしクラムベリーは、すぐには踵を下ろさなかった。そこにスイムスイムはいなかった。魔法少女ではない、人間の少女が倒れていた。年齢は小学校一年生か、二年生か。

スイムスイムの変身前の姿であるとすぐに気がついた。音波による攻撃で気を失い、変身が解除されたのだ。

クラムベリーには人間性が磨耗《まもう》しているという自覚がある。魔法少女はもちろん、相手が人間であっても必要があれば殺す。小学生だろうが幼稚園児だろうが赤ん坊だろうが、恩人恋人親兄弟、誰であっても殺す。そこには年齢も関係性もない。

しかし、ほんの一瞬、コンマ一秒の半分の半分もないくらいの短い時間ではあるが、躊躇した。戦闘狂のクラムベリーは、敵の強さや能力には興味を持っていたものの、正体に関してはまったく無頓着で、それが裏目に出た。高い評価を与えていた魔法少女がこんなにも幼い少女だったことが、クラムベリーを戸惑わせた。

躊躇はほんの一瞬だったが、攻撃対象の幼さにほんの一瞬躊躇したということを自覚し、クラムベリーは動揺した。心が乱れた。そのため、悠々と回避できるはずだった攻撃を避け切れなかった。背後から詰め寄ったたまの攻撃に背中を切り裂かれた。

攻撃といっても派手に切り裂かれたのはジャケットのみで、クラムベリーが実際に負ったのは、小さな擦過傷《さっかしょう》だ。血も出ていない。蚯蚓腫《みみずば》れより若干深い程度のものだ。当然ダメージはなかった。はずだった。攻撃したのがたまでさえなければ。

クラムベリーは、たまの魔法を知っている。たまの魔法は穴掘りだ。ほんの少しでも穴を掘れば、魔法の力で瞬時に直径一メートルの穴に広げてしまう。地面はもちろん、コンクリートであろうと鉄であろうと人体であろうと、自分が掘った穴を直径一メートルに広げることができる。

後悔がまず頭に浮かび、次に説得しなければと思い、その次に考えが進むよりも速くたまの魔法が発動した。クラムベリーの背中が捩《よじ》れ、開放された。胴体と頭部が消し飛び、腕と花がその場に落ち、蔓《つる》が力なく垂れ、下半身は腸《はらわた》を零《こぼ》しながら尻餅をついた。

◇◇◇

クラムベリーの鮮血を全身に浴び、膝が震えた。無残な死に様を目にし、その死体を作ったのが自分の魔法であることを思い出し、胃液を吐いた。その場に倒れこもうとする身体をぎりぎりのところでつなぎ止めた。たまにはまだやることがあった。

「スイムちゃん！」

スイムスイム……なのだろうか。小学校低学年くらいの女の子は倒れたままで動かない。

「スイムちゃん！　スイムちゃん！」

懸命に呼びかけた。反応がない。身体を揺すっていいものかどうか悩み、とりあえず抱き起こした。瞼がぴくりと動いた。まだ生きている。

「スイムちゃん！」

瞼が動き、じわじわと開いた。

「スイムちゃん？」

「うん」

少女が身体を起こした。

「よかった……無事だったんだ。でもすごいね。スイムちゃんまだ子供だったんだ」

年上だとばかり思っていた。ルーラ亡き後スイムスイムはリーダーとしてたまに命令を下し、たまはいつもヘマばかりだったが、それでもルーラのように怒鳴りつけることはなく、見捨てることもなく、一緒にいてくれた。優しい大人という印象を抱いていた。

少女はたまに寄りかかるようにして立ち上がり、脇腹を押さえて顔をしかめ、よろけ、たまが支えることでなんとかバランスをとり、ようやく完全に立ち上がった。その時はもうすでに少女ではなく魔法少女スイムスイムになっていた。

スイムスイムは掌の中に武器を呼び出し、横に振った。たまは喉に焼けつくような熱を感じ、なにかが飛び散る感触を覚え、全身から体温が一斉に逃げていき、足を支えていることができず、膝から崩れた。なにが起こったのか理解する前にたまの意識は闇に溶けた。

◇◇◇

仕方がなかった。正体を知った者は生かしておくな、というルーラの教えがある以上、たまを殺さなければならなかった。たまは仲間で、失敗をしでかすと耳と尻尾を伏せて小さくなっているのがとてもかわいかったけど、ルーラの教えは守らなければならない。

「へーい！　新しいマスター、聞こえてるぽん？」

魔法の端末からファヴの声が聞こえる。

「色々話しておきたいことがあるんだけどオッケー？　そっちからも聞きたいことあるんじゃないぽん？　『魔法少女育成計画』ってそもそもなんなのか、とか。正体はなんだろうって気になってないぽん？」

スイムスイムは頬に流れた涙を手首で拭った。

「ちょっと聞いてるぽん？　これから二人三脚で盛り上げていかなきゃいけないのにコミュニケーション不全じゃお互い困るぽん。まさかマスターになりたくないいなんていうつもりぽん？」

「マスターってなに？」

「とってもえらーい魔法少女のことぽん」

「なら、なる」

「いいお返事ありがとうぽん。じゃあこれからファヴと二人三脚で」

「それは嫌」

電源を落とした。

ルーラは頂点にいればいい。二人三脚などルーラのすべきことではない。

『緊急連絡』

ファヴ：えー今回は大事なお知らせなんでみんな聞き逃さないようにぽん
ファヴ：まずは先週の脱落者から
ファヴ：たま
ファヴ：ハードゴア・アリス
ファヴ：ミナエル
ファヴ：森の音楽家クラムベリー
ファヴ：めでたく目標の四人以下になったわけぽん
ファヴ：それでは諸連絡を後ほど各人に
ファヴ：シーユー

第九章　コスモスは戦場に似合う

「魔法の国」の人材発掘部では伝統的に事務仕事を嫌がる風潮があり、その傾向は強力な魔法の使い手になるほど顕著になるといわれている。

従来の黒猫や梟《ふくろう》といったオーソドックスな使い魔に比べ、自らが住まう管理者用端末を使ったデスクワークに定評がある電子妖精タイプの使い魔は、そういった理由から大変に重宝されている。人材発掘部では彼らを使い魔として用いる職員が八割を占めた。

ファヴは人材発掘部でも古参の使い魔だ。古参だが職務に対する情熱は皆無だった。かつては持っていた情熱を失ったのか、初めから情熱なんて持っていなかったのか、それさえも覚えていない。恐らくは不良品だったのだろう。試験に倦《う》み、マスターに飽き、惰性だけで使い魔を続けてきた。クラムベリーと出会うまでは。

クラムベリーが最初に参加した選抜試験では、事故を防ぐためのチェック機能として働くはずだったファヴがいい加減なチェックしかしていなかったせいで、召喚された悪魔が暴走、マスターと候補者が軒並み虐殺された。ファヴは、決まりきった試験を吹き飛ばすイレギュラーな事態に興奮したが、その悪魔をたった一人で打ち倒した九歳の少女にはもっと興奮させられた。

少女は、目つきといい、口にする言葉といい、異常に好戦的な態度といい、明らかに精神の平衡を失っていたが、上層部に対してはなにも問題はないという報告書をでっちあげておいた。この少女となら面白い試験を作ることができる、そう確信した。相棒を失ったばかりのファヴはクラムベリーをマスターに推薦した。

ファヴの確信は正しかった。クラムベリーは最高の試験官で最高のパートナーだった。戦闘欲求を満たすために一参加者として試験に参加してしまうような魔法少女は他にいない。クラムベリーは殺し合いを楽しみ、ファヴはそれを刺激的な見世物として楽しむ。

本来の選抜試験には見世物としての面白みなどない。勇気、知恵、人格などという魔法に関係のない要素に重きをおき、選ばれた一人だけが本物の魔法使いになる。選ばれなかった候補も記憶を書き換えられて元の生活に戻るだけだ。

ファヴとクラムベリーの試験は違う。脱落者が死ぬようにルールを捻《ね》じ曲げ、候補同士が殺し合うように仕向け、最も強い者が勝者となる形を作る。選ばれた「最も強い者」は、時として、興が乗ったクラムベリーに殺されてしまうこともあった。戦闘意欲は素晴らしいが、やり過ぎる点だけは改めてほしいものだと思う。

性善説に則った「魔法の国」はファヴにとって実にちょろかった。勝者の記憶をいじったり報告書を自分達に都合の良いものにしたりと露見しないための努力は惜しまず、その努力によってここまでバレずに楽しんできた。

選ばれる勝者は自然強くなるため、ファヴやクラムベリーの選抜試験では優秀な者が輩出されるとかえって評判がよくなったくらいだ。

有能な使い手は、それ即ち「魔法の国」の力になる。杓子《しゃくし》定規《じょうぎ》の試験で無能を引き入れる試験官に比べれば、ファヴもクラムベリーも立派な愛国者だと胸を張ることができる。

ファヴはクラムベリーが好きだったが、死者を想うようなロマンチストではない。新しいマスターが必要となれば乗り換える。スイムスイムは行動原理が理解できず、ファヴとの協力をも拒んだために良いマスターとはいえない。排除する必要があった。

◇◇◇

守ると誓ってくれたラ・ピュセル。

平和的解決を目指していたシスターナナ。

そして、ハードゴア・アリス。

あの子がハードゴア・アリスだった。鍵を失くして困っていたあの子が。

ゲーム終了の宣言は、ほっとすると同時に「なぜ自分だけ生きているんだろう」と思わされた。泣き虫で、弱虫で、逃げているばかりで、怖くて、ただ怖くて、怯えて、震えて、でもスノーホワイトだけが生きている。

スノーホワイトに残ったのは「なぜ自分だけ生きているんだろう」だけで、生き残った魔法少女から「会いたい」という連絡を受けた時も素直に頷いた。

みんな友達だと思っていた。大切な人だと思っていた。それなのに、みんなが死んだことよりも自分が生き残ったことに安堵している。死にたくなる。生き残った魔法少女は、全てが終わった今、どんな気持ちでいるのか聞いてみたかった。

なにを食べても味がせず、なにを想像しても怖いとは思えなかった。麻痺していた。

海水浴場前の鉄塔で会った魔法少女は、スノーホワイトの想像していた魔法少女とは違っていた。歴戦の勇者にも血に狂った殺人鬼にも見えなかった。雰囲気がどこか物悲しく、全体的に黒い衣装がより一層悲壮感を煽る。ただし切れ長の目は煌々と光っていた。そこには強い意志の力が宿っていた。

「こんばんは……」

「……こんばんは」

リップル。生き残った魔法少女。

「スイムスイム……」

「え？」

「スイムスイムについて知っていることがあれば……教えてほしい……」

なぜ、スイムスイムのことを？　そんな疑問が表情に出ていたのだろう。リップルは語った。

「あいつは……殺さないと……」

「えっ」

「仇だから……友達の……」

「で、でも。もう誰も脱落しなくていいってアナウンスがあったのに」

「スイムスイムのことで……知ってることがあれば……教えてほしい……」

すでに終了のアナウンスがあった。誰が誰を殺すとか誰が誰を落とすとかそういうことはなくなったはずだった。スノーホワイトは「どうにかして説得しなければ」と思ったが、その思いは「どうして説得しなければと思ったんだろう」に変わった。

リップルは押し黙ったスノーホワイトを見て、息をつき、背中を向けた。

「それじゃ……」

「ちょっと待って！」

スノーホワイトはもう嫌だった。これ以上誰かが死ぬのは見たくも聞きたくもなかった。

「恐ろしい落とし合いは終わったんだよ。これ以上誰かが落ちる必要はないんだよ」

リップルは振り返った。

「もうやめよう。生き残るために誰かを傷つけるのだってわたしは嫌だった。でも、もう、そんな理由さえないじゃない。今、誰かを殺《あや》めたら、それはもう、魔法少女じゃない……ただの人殺しだよ」

「私は魔法少女じゃなくていい……ただの人殺しでかまわない」

開き直りではなかった。確固たる意思が言葉と瞳に込められていた。射竦《いすく》められる思いがして、スノーホワイトは半歩足を退いた。

「でも、魔法少女にはなりたかった……あなたに憧れていた。スノーホワイト」

リップルは再び背中を向けた。スノーホワイトは止められないことを悟った。スノーホワイトの説得で彼女が考えを改めることはない。

スイムスイムを従えていたはずのルーラも、スイムスイムに会いにいったクラムベリーも、スイムスイムのチームに所属していたピーキーエンジェルズとたまも、全員死んだ。スイムスイムに関わった魔法少女は全員死んでいる。きっとリップルも死ぬ。スイムスイムに勝つことはできない。

スノーホワイトは選ばなかった。ここまで自ら選択することなく流されてきた。リップルは選択している。間違った道であり、死につながる道であることを知っていながら、自分で選び、進もうとしている。リップルは自分は魔法少女ではないといった。違う。リップルこそが魔法少女だ。死んでほしくない。

「スイムスイムの弱点は光と音ぽん。なんでもすり抜けるけど音と光だけはアウトぽん」

スノーホワイトとリップル、二人の魔法の端末から、同時に声が聞こえた。甲高い合成音声は、ステレオで自信ありげに続けた。

「まあリップルがどうしても納得できないっていうならゲーム続行ってことでいいぽん。これは私闘じゃなくてあくまでもゲームの一環《いっかん》。ならしょうがないね、と。それじゃ残り二人になるまでみんな頑張ってぽん」

スノーホワイトはべらべらと話す魔法の端末を禍々《まがまが》しいものを見る目で凝視した。ファヴはいつものおどけた調子でとんでもないことをいっていた。

「ファヴ！　なにを……！」

「ありがとう……感謝する……」

リップルは感謝の言葉を口にして鉄塔から身を躍らせた。スノーホワイトは手を伸ばしたが、リップルの赤い襟巻に触れる直前で空を掻いた。

「ああいうのはね。放っておいても勝手に頑張っちゃうから。背中押してあげた方がよっぽどマシだったりするぽん」

「なんで……どうして煽るようなことを！」

「本来ならスイムスイムがマスターやるべきぽん。クラムベリーを殺したたまを殺したのがスイムスイムならマスターになる権利は大有りぽん」

「なにをいってるの……？」

「でもねー。あれはダメぽん。頭の配線が大事な所で何本か焼き切れててちょっとついていけないっていうか。スイムスイムは殺し屋としての才能があっても管理者としては落第ぽん。だったらやる気いっぱいのリップル唆《そそのか》してスイムスイム殺してもらうのがファヴ的にはありがたいなーって」

スノーホワイトは腰に括《くく》っていた下げ緒代わりの革紐を引き千切り、魔法の端末を両手で掴んで目の前で捧げ持った。立体映像の中に浮遊している白黒のマスコットキャラクターを睨みつける。

「なんでスノーホワイトが怒るぽん？　スノーホワイトにとっては願ったり叶ったりの展開じゃないぽん？　リップルとスイムスイムが共倒れになればスノーホワイトが唯一の生き残りで絶対勝者！　新しいマスターとなって『魔法の国』にご招待と相成るぽん！」

スノーホワイトは右手を端末から離し、握り締め、振り上げ、叩きつけた。魔法少女の腕力でぶん殴られた魔法の端末は真ん中から折れ曲がり、画面は真っ黒になった。

「あーあ。もったいないぽん。憂さ晴らしでそんなことしたって意味ないのに。スノーホワイトの魔法の端末壊したところでファヴが消えるわけじゃ――」

立体映像が消え失せた。

ハードゴア・アリスはいってくれた。スノーホワイトがいればこの街から魔法少女がいなくなることはない、と。死が目前に迫っていたのに、スノーホワイトのことを思っていてくれた。自分の命が消えようとしているのに他人のことを考えていた。

スノーホワイトは自分が魔法少女であるとはもう考えていない。だがハードゴア・アリスを失望させるのは絶対に嫌だった。

やらねばならないことがある。スノーホワイトは鉄塔の上から飛び降りた。

◇◇◇

待ち合わせ場所はどこでもよかった。縄張りを主張するほど多くの魔法少女はすでになく、夜ともなれば人気がなくなる場所は市内に点在している。スイムスイムが項島台ダムを選んだのに地元である以外の理由はない。

蛇行《だこう》する山道を抜けるとぽっかりと広がるダムに出る。入り口から百メートルほどの場所が円状にくり抜かれて石畳が敷き詰められ、木製のベンチが数台設置されていた。昼はともかく夜に使われることはない。

東側に広がる山、西側に広がるダム、ダムの向こうの山、それらの景色を楽しむための設備だ。街からすぐとはいえ山の中で、夜は暗い。一面に咲いているコスモスの花も見えない。

湿っぽい空気は予告だったのかもしれない。雨が降り始めた。雨足はそれほど強いものではない。コンクリートに点々と黒い染みが滲《にじ》み、じわじわと広がっていく。ダム湖の水面が波紋で揺れている。激しい雨だろうと大人しい雨だろうとスイムスイムの身体を濡らすことはできない。雨はスイムスイムを通り抜けて地面を濡らす。

スイムスイムはマスターとなった。マスターがどのような役割を果たすのか詳しいことはまだ知らない。ファヴからもらった資料は膨大で、さらに習っていない漢字が数多く使われていたため、ルビを振ってほしいとファヴに頼み、そのままにしてある。

スイムスイムは、ルーラが目指していた「魔法少女全体のリーダー」になった。しかしピーキーエンジェルズとたまを失った。ルーラなら全員生き残らせた上でマスターになることができただろうか。

スイムスイムは空を見上げた。雨が強くなった気がする。

リップルから、ファヴ経由で会いたいという申し出があった時、スイムスイムはそれを受諾した。部下なくしてリーダーはリーダー足り得ない、とルーラがいっていた。もはや殺し合う必要はない。スイムスイムには部下を増やす必要があった。

雨音に足音が混ざった。一定の間隔で水をはねている。相手はダムの入り口。百メートルほど距離がある。影のような魔法少女だった。衣装が黒い。髪が黒い。瞳が黒い。

五十メートル。見覚えがある。どこかで見た記憶があった。

二十メートル。コートを羽織っているようだ。コートの背中には文字が刺繍《ししゅう》してある。難しい漢字を使っているので、スイムスイムには読めない。

十メートル。風がコートをはためかせた。

五メートル。魔法少女が足を止めた。切れ長の目。鋭い眼光。目を合わせているだけで斬りつけられているようだ。スイムスイムは目の前の魔法少女が誰か思い出した。親指で錠剤を弾き、口で受け止め、飲みこんだ。

◇◇◇

時間をかけるつもりは毛頭なかった。リップルはスイムスイムと交戦した折、その魔法を垣間見《かいま》ている。刃は空気を切るのと同じく全てすり抜けた。水中に落ちるようにビルの中へと潜っていった。物質を透過する。時間制限くらいはあるかもしれないが、仮にそんなものがあったとしてもスイムスイムは悠々と余裕を持って逃げるだけだ。

リップルがスイムスイムに一矢報《いっしむく》いる方法は一つしかない。

スイムスイムが巨大な武器を振りかぶった。リップルは半歩右へ回ることで回避しようとしたが、避《よ》け損《そこ》ねた。スイムスイムの刃は予想以上に速く、力強かった。ホテルの上で戦った時とは動きが違う。顔の左側に熱を感じ、視界が赤く染まった。

リップルは舌打ちをし、トップスピードのコートを脱ぎ、スイムスイムに覆い被せた。コートはなんの抵抗もなく石畳の上に叩きつけられた。スイムスイムが地面に潜ったと気づいた時には背後に突き刺さらんばかりの殺気を感じた。

身を捻って振り返る。風圧を感じた。刃が打ち振るわれている。視界内にスイムスイムの姿を収めた。左側面が透明ななにかに薙ぎ払われようとしている。武器が見えていない。避け切れない。腕が引き攣《つ》れた。皮が引っ張られるような痛み。深手だ。だが狙っていたことでもある。これで隙を作ることができた。

スイムスイムの顔に向けて足を伸ばした。ダメージを与えることが目的ではない。鼻から上に足の裏を当て、目を覆い隠した。同時に、腰に吊るした四次元袋に右手を突っ込んだ。カラミティ・メアリの持っていた魔法のアイテムだ。

スイムスイムはこの世の全てを透過するわけではない。透過していないものがある。ファヴは音と光がスイムスイムの弱点だといっていた。今のリップルはファヴの助言にすがるしかない。

リップルの魔法は百発百中の手裏剣。片腕に深手を与えられようと、片目を潰されようと、投げさえすれば命中する。ピンを抜いたスタングレネードを優しく放った。スタングレネードはスローモーションのようにゆっくりと宙を飛び、リップルの魔法によって狙い過たずスイムスイムに命中し、その身体の内側に潜り込んだ。

スタングレネード。殺傷が許されない状況で使用される特殊手榴弾。爆発から生じる強烈な音と閃光によって対象の無力化を狙う非致死性兵器。一時的な難聴、失明、パニック等でまともに行動することはできなくなる。カラミティ・メアリが準備していた武器の内の一つ。カラミティ・メアリは死んだが、彼女が武器にかけた魔法は残っていた。

魔法のスタングレネードが、スイムスイムの身体の内側で炸裂した。

スイムスイムという「覆い」があったとはいえ、至近距離にいたリップルも気が遠くなる衝撃を受けた。

雨音が聞こえない。くらくらする。足が覚束《おぼつか》ない。耳鳴りが酷い。真っ暗でなにも見えない。昏倒《こんとう》寸前だ。しかしスイムスイムに比べれば。気絶さえすれば魔法はもう関係ない。透過することもできない。

ずたずたになった感覚を研ぎ澄ませ、スイムスイムの位置を探す。気配を感じた。光も音もないが、なんとなくでわかればそれでいい。リップルは刀を振りかぶり、投げた。

手応えがあった。水溜りになにかが倒れこみ、水が激しくはねる音が続く。大量の液体を浴びた感触があった。返り血だろう。生温かい液体が雨で流されていく。

終わった。終わらせた。

トップスピードはなんというだろう。怒るんじゃないだろうか。

スノーホワイトには会うことができてよかった。人を守るために生きることができる優しい魔法少女。こうなりたかった魔法少女。もしも、また、魔法少女として活動できるなら、舌打ちをしない、正しい魔法少女になろう。

リップルは投げつけた勢いの余力に従って一歩二歩と歩き、縁石に躓《つまず》いて茂みの中に倒れこんだ。思っていたよりも出血が激しい。少し休まなければならない。雨は一層激しくなり、リップルの身体に冷たい雫を叩きつけてくる。

意識が薄らいでいく。視界の隅でスノーホワイトが泣いている。死に際に見る幻としては垢《あか》抜《ぬ》けない。リップルは舌打ちをして目を閉じた。

◇◇◇

間に合わなかった。スノーホワイトは水溜りの中に両膝をついた。

小学校低学年くらいの少女の身体が日本刀で串刺しにされていた。日本刀は、少女の背中から胸を通って石畳に突き刺さり、どこからどう見ても少女は事切れている。鉈と薙刀を足して二で割ったような武器が近くに転がっていた。少し離れたところには魔法の端末が落ちている。魔法の端末はスノーホワイトが持っていた物よりも二回りは大きい。

リップルは花壇の中に突っ伏していた。右腕は肉と皮で辛うじて繋がっているといった有様で、コンクリートの上に流れている出血の量は、日本刀に刺し貫かれている少女と大差ない。赤い河のように流れ出た血液が、雨に叩かれ少しずつ薄らいでいた。

「おめでとう」

下を向いて奥歯を噛み締めていたスノーホワイトがはっと顔を上げた。二回り大きな魔法の端末から光が照射されている。立体映像だ。

「スイムスイムとリップルがいなくなってスノーホワイトだけが残ったぽん。これでスノーホワイトが正式な勝者ということで。いやー、自分では手を汚さずに勝ち抜くとはさすがスノーホワイトと褒《ほ》め称《たた》えておくぽん」

ファヴはいつにも増して陽気な口調で喋っている。

「ファヴとしてもマスターがいないと色々不都合があるぽん」

「ならない……」

「うん？」

「私はマスターにはならない」

「なんで？」

スノーホワイトは立ち上がった。降りかかる雨と両目から流れ出る涙を拭おうともせず、黙って立体映像に近づいた。

「ファヴの声が聞こえるから……マスターになってくれないと困るって」

「いや、まあ、そりゃ困るっちゃ困るんだけど。でもね」

ファヴの口上は石畳が割れる音に遮られた。石畳の上に置かれていた魔法の端末が踏みつけられることで、下の石畳が放射状にひび割れた。スノーホワイトはなおも足を踏みつけ、魔法の端末は石畳の中へとめり込んでいった。

がつん。がつん。がつん。踵を踏み鳴らす音が雨音を引き裂く。

「なにしてるぽん？」

「ファヴの声が聞こえるから……」

「はい？」

「この管理者用端末が壊されると困るって……」

「ああ、それで」

ファヴはふんと鼻を鳴らした。

「そういや困ってる声が聞こえるんだったっけ。またそんな無駄なことを」

スノーホワイトは石畳の中に埋まった魔法の端末を引き抜き、石畳に叩きつけた。十メートル上空に高々と舞い上がった魔法の端末が落ちてきたところへ駆け寄り、勢いを乗せて殴りつける。投げる。蹴る。殴る。叩く。踏みつける。

「だから無駄だってば。管理者用の端末は頑丈にできてるぽん。君らの使ってた簡易型じゃなくて、『魔法の国』で日常的に使われてるスーパーなやつだから。スノーホワイトの攻撃力じゃ足りない足りない」

スノーホワイトは肩で息をしている。なのに魔法の端末は傷一つついていない。

「ファヴとしてはね。もっとこうスノーホワイトと仲良くしたいんだけど。とりあえず気の済むまで殴ってもらって。それで気が済んだら話聞いてくれるってことでオーケー?」

スノーホワイトは魔法の端末の前で座り込み、右拳と左拳を交互に繰り出して殴り続けた。何発も何発も何発も何発も。拳の皮が破れ、血で赤く染まっても振るう手を止めない。

「はっはっはっはっは。だから無理だっていうのに」

なんでもいい。壊すことができるならなんだっていい。スノーホワイトは石畳を剥ぎ取って叩きつけ、ベンチを振り回して殴りつけ、花壇の縁石を打ちつけたが、それでも管理者用端末は壊れない。持っているもので使えそうなものはないか。花飾り。壊れた魔法の端末。腕章。役に立ちそうなものがない。ポケットの中を探ると指先が柔らかいなにかに触れた。取り出すと兎の足だった。

「自分なら無理でも押し通せると思っちゃうのが魔法少女の悪い癖ぽん。ラ・ピュセルだってハードゴア・アリスだってそういうところをきちーんと心得てさえいればあんな犬死にしなかったのに。トップスピードもあれほど生き残りたいっていってたくせして間抜けな死に方を」

「黙れ……」

スノーホワイトではない。ファヴの声でもない。足元に影が差している。スノーホワイトは顔を上げた。声の主は今にも倒れんばかりの大怪我で、杖に寄りかかるようにして立っていた。

「リップル？　生きてたぽん？」

「トップスピードを笑うな……」

リップルはよろめきながらも杖を振り上げた。いや、杖ではない。あれはそこに転がっていた武器……鉈と薙刀を足して二で割ったような武器だ。立体映像がぶれた。ファヴの羽ばたきが勢いを増し、リンプンが激しく飛び散った。スノーホワイトには心の声が聞こえてくる。

〝スイムスイムの使ってた武器……〟

〝『魔法の国』の日常品……〟

〝あれはまずい……〟

〝すごくまずい……〟

〝どうにかしてリップルをいいくるめないと……〟

「ちょっと待ってリップル。誤解してるぽん。ファヴはトップスピードを馬鹿にしたりなんてしてないぽん。魔法少女はみんなリスペクトしてるぽん。ファヴは魔法少女に意地悪していたように見えたかもしれないけど、それは全部クラムベリーの命令でやってたことぽん。あいつが手伝わないと酷いぞって脅してなにからなにまでファヴにやらせてたぽん。本来は魔法少女が暴走した時のための機能を使ってルールに反した魔法少女の命を」

「そいつのいうことを聞かないで！」

スノーホワイトが叫び、退くと同時にリップルが振り下ろした。

エピローグ

放課後の学生で混雑を極めるファーストフード店の中、高校生の少女が二人、差し向かいで座っていた。一人は頬杖をついてつまらなさそうに、一人は慣れた手つきでスマートフォンを操作している。


「明日だっけ？」

「小雪が帰ってくる日？」

「そう、それ」

「小雪のメールによれば明日だねー」

「書き置き一枚でフラリといなくなって、半月もだもんね。中学の頃はまさか家出なんかするようなキャラとは思わなかったわ」

「そこはよっちゃんにマジ同感。高校デビューで悪くなった……っていうんじゃないけどさ。なんかワイルドになったよね」

「親御《おやご》さん心配してたからねぇ……本当帰ってきてくれてありがとうって感じ。ところであんたなにやってんの？」

「いや魔法少女の目撃情報を」

「スゥーミー……あんたまだ魔法少女がどうこういってきてんの？」

「いや確かに目撃情報は減ったけどさ。でもちらほら入ってきてんのよ。小雪も魔法少女好きだったじゃん。だから小雪が帰ってくるまでに情報をまとめておこうと思ってだね」

「思ってだねじゃねーよ。なんか『魔法少女育成計画』だっけ？　あれも酷いバグあったとかで再開未定の休止中でしょ？　あっこの会社の株価もすげー下がったってニュースでいってたよ。もうあれよ、魔法少女とか終わってんのよ」

「終わってねーっつーの！　目撃情報だって更新されてるっつーの！　ほら、ここに出てるっしょ。片腕片目の黒い魔法少女に助けられたって」

「魔法少女ってか死神みたいだな、そのルックス」

「あとさ、あれもあったじゃん。中東の」

「ああ、あれ？　ロシアと中国が反対したから他の国も直接手が出せなくなって国内の虐殺《ぎゃくさつ》止められないでどうしようっていってたところに」

「虐殺を指揮してた大統領を筆頭に、政府の要人が軒並み反政府派にとっ捕まって革命が成功したってあれね。政府の要人を捕まえて反政府派まで連れてったのは、たった一人の少女だっていうあれよ。白い少女が風のように現れてってさ、あれ絶対魔法少女よ」

「いや魔法少女っていうか妄言《もうげん》っていうか都市伝説っていうか。やってることただのテロリストだよね」

「と、に、か、く。魔法少女はまだ終わってないね。絶対だね。小雪が帰ってきたら同じこというよ、きっと」

◇◇◇

空が青く天は近い。太陽はすぐそこで輝いているように見え、猛烈な勢いで雲が彼方へ流されていく。高度数千メートルの上空には雲と空と太陽しかない。

ジャンボジェット機の尾翼にもたれかかって快適に目的地を目指すというファンタジックな空の旅行は、管理者用端末のアプリケーションがあってのことだ。風圧で吹き飛ばされることもなく、低音で凍えることもなく、轟音に悩まされることもない。

無賃乗車……いや、車じゃないから密航か、と頭の中で訂正した。空を飛べないスノーホワイトは、いつもこういう手段で海外に渡っている。

本来魔法少女は、ひとつの町程度の小さい範囲で人助けをするもので、あまり広範囲に活動したりはしないものだ。自分の価値観に従って他国の内政へ干渉する行為には、「魔法の国」はけっしていい顔をしないだろう。

選抜試験におけるファヴとクラムベリーの暴走を知った「魔法の国」は、あわてて特使をこちらの世界に派遣してきた。彼らはスノーホワイトとリップルに平謝りし、正式の魔法少女として認め、「魔法の国」名誉住民としての資格を授けてくれた。

自分がそれについて多少なりとありがたいと思っているかどうか、スノーホワイトはよくわからない。ただ、新聞を読んでいて腹が立ったから他国へ出向くような恣意的な魔法少女を、「魔法の国」が持て余し始めているのは確かなようだ。

管理者用端末の電源をオンにし、メールボックスを開くと、「魔法の国」の監督官からメールが来ていた。

魔法少女は暗殺者になることもテロリストになることもできる。だからこそ魔法少女部門では強い抑制心が必要とされているのだ。倫理を守ろうという強い心によって自己を抑えることができるはずではないか。そもそもが――

ここまで読んでメールをゴミ箱に送った。

スノーホワイトは知っている。小さな親切だけではなにも変わらないこと。見てるだけでは事が動かないこと。他人任せでは解決しないこと。全て思い知らされてきた。だからこそ変わろうと思った。変わりたいと思った。

スノーホワイトの知っている魔法少女達なら、きっとそうするからだ。彼女達は死ぬまで……死んでも自分を貫く。

メールはもう一件来ていた。

B七〇九八試験場とB七二四三試験場で記録改竄《かいざん》の痕跡有り。どちらも事故による死亡者が出ている模様。尚試験官は同じ人物。同一試験官がB七五一一試験場にて近日試験を執《と》り行う予定有り――

御礼のメールを情報提供者――リップルに返信し、スノーホワイトは管理者用端末の電源を落とした。

一匹狼のスノーホワイトとは違い、リップルは各部署に知り合いがいる。友達というよりリップルのファンだ。どのような経緯でそんなことになったのかは知らないが、リップルは可愛くて格好いいからなるべくしてなったのだろうとスノーホワイトは思っている。

「次は……選ばなかったことを後悔するんじゃない。後悔する前に自分で選ぶ」

誰にいうとでもなしに呟いた。

あとがき

魔法少女が大好きで魔法少女さえいればどんぶり飯三杯は余裕な遠藤浅蜊《えんどうあさり》と申します。

話は変わりますが、私の友人I君は「触手（に色々とされている女の子が）好きである」という嗜好《しこう》をよりにもよって私に教えてしまったために、翌日から皆に触手呼ばわりされるようになりました。なにがいいたいかといいますと、後書きの冒頭から魔法少女が好きなんてことを書いた私も魔法少女呼ばわりされる覚悟を持っています。

閑話休題。

今回、後書きを書くにあたり、少しでも参考になればと前作を引っ張り出して後書きを読んだら「なるべくなら近いうちにお会いしましょう」などということが書いてありました。なるべくならなどと付け加えることで近いうちにお会いできなかった場合の保険を用意しているあたりが大変に卑劣《ひれつ》です。あまりいないとは思いますが、この後書きを読んでいる青少年の皆様はけっしてこういう大人にならないよう気をつけましょう。

前作の後書きには担当編集者のS村さんから「反社会的内容にならないよう気をつけろ」と釘を刺されたということも書いてありましたが、今回はそんなこともありませんでした。作品自体からそれなりに反社会的な匂いがしているため、後書きでカバーしても無駄だと思われていたのかもしれません。

いかにしていたいけな少女達を殺すかファミレスで相談し、電話で煮詰め、こうでもないああでもないこれは面白いそれでいこうと議論するという作るまでの過程がすでに反社会的だったといえなくもありませんしね。

というわけで社会性を重視した後書きです。ごめんなさい嘘です。社会性はそんなにありません。

二転三転というよりは七転八倒でした。まずプロットの段階でいきなり躓《つまず》き、一度完成してからもオチから中盤から一つに落ち着くことがありませんでした。ここを変えよう、削ろう、足そう、ああしよう、こうしようと、少しでも作品の完成度を高めるために案が出されては消えていきました。言葉のぶつかり合い、殴り合い、夕陽に照らされた河原で大の字になって倒れ、起き上がって「お前、やるじゃねえか」「ふふ、お前もな」などと笑い合う。作家と編集者というのはこれくらいしないといけないのかと驚かされました。このように何度となく変更され、今の形に落ち着きました。

落ち着いてからも落ち着きませんでした。ひどく矛盾していますが本当に落ち着きませんでした。どれくらい落ち着かなかったかというと、私はカラミティ・メアリを夢に見ました。蹴られて殴られて最後にパーンと撃ち殺されました。悪夢でした。あんまりだと思いました。

最後までご指導いただきました編集部の方々、特に担当編集者のS村さんには大変に感謝しております。ありがとうございました。

イラストを描いていただきましたマルイノ先生には本文が遅れるということでダイレクトにご迷惑をおかけしました。魔法少女達の美しいイラストは家宝にさせていただきます。ねむりんが特にお気に入りです。ありがとうございました。

最後に読者の皆様。お買い上げいただきまことにありがとうございました。また今度お会いしましょう。なるべくなら近いうちに。いやマジで。

はじめまして、マルイノと申します。
魔法少女をこれでもか!と
描かせて頂きました。幸せです〜
ダークな世界で自分を生きる
彼女達はとてもかっこいいです。
この物語をより確かに
伝えるお手伝いができていれば
幸いです。
またどこかで彼女達に出逢える
ことを願いつつ…
ありがとうございました!
マルイノ.

本書に対するご意見、
ご感想をお待ちしております。

| あて先 |

〒102-8388　東京都千代田区一番町25番地
株式会社 宝島社　編集2局
このライトノベルがすごい！文庫 編集部
「遠藤浅蜊先生」係
「マルイノ先生」係

このライトノベルがすごい！文庫 Website
［PC］http://kl.konorano.jp/
編集部ブログ
［PC&携帯］ http://blog.konorano.jp/

このライトノベルがすごい!文庫

魔法少女育成計画

(まほうしょうじょいくせいけいかく)

2012年6月22日　第1刷発行
2013年3月 1 日　第3刷発行

著　者　遠《えん》藤《どう》浅《あさ》蜊《り》

発行人　蓮見清一
発行所　株式会社 宝島社
〒102-8388　東京都千代田区一番町25番地
電話：営業 03(3234)4621 / 編集 03(3239)0599
http://tkj.jp
振替：00170-1-170829 (株)宝島社

印刷・製本　株式会社廣済堂

ISBN978-4-7966-8039-4